Isla de Lobos

ISLA DE LOBOS

José Vicente Pascual

VERSÁTIL
narrativa

El jurado del Premio Valencia Alfons el Magnànim de Narrativa, presidido por el Diputado de Cultura Xavier Rius e integrado por los escritores Víctor del Árbol, Rosa Ribas y Carmen Amoraga, y por la representante de Ediciones Versátil, Eva Olaya, acuerda conceder dicho premio a la novela *Isla de Lobos*, de José Vicente Pascual González.

Los miembros del jurado consideran la obra «muy entretenida, con un punto mágico que te deja con ganas de más. Conjuga hábilmente elementos de ficción realista y mágica y consigue crear una atmósfera muy original».

Institució Alfons el Magnànim-Centre Valencià d'Estudis i d'Investigació, 22 de julio de 2016.

Título original: *Isla de Lobos*

© 2016 José Vicente Pascual

Cubierta:
Fotomontaje y diseño: Eva Olaya
Fotografías cubierta © Shutterstock

©Texto de contracubierta: Antonio Manilla

1.ª edición: octubre 2016

Derechos exclusivos de edición en español
reservados para todo el mundo:
© 2016: Ediciones Versátil S.L.
Av. Diagonal, 601 planta 8
08028 Barcelona
www.ed-versatil.com

ISBN: 978-84-16580-53-8
IBIC: FA

Depósito legal: B19558-2016
Impreso en España
2016.- Estilo Estugraf Impresores S. L.
Pol. Ind. Los Huertecillos - nave 13
28350 Ciempozuelos (Madrid).

*A la memoria de Francisco Rivero, el novelista grande
que contaba los años con los dedos de una nube.*

Para Sonia, que siempre ha estado para siempre.

«Cada uno es, para sí mismo, el más lejano»
La genealogía de la moral: Un escrito polémico.
Friedrich Nietzsche. (1887)

«¡Saca la lengua, Ulises, y prueba!
¡Es amarga! ¡Es agua del mar!».
Las mocedades de Ulises. Álvaro Cunqueiro. (1960)

— Nota del autor —

Isla de Lobos no es lugar y, al mismo tiempo, es todos los lugares posibles: un pedazo de tierra volcánica en medio del inmenso Atlántico, igual que nuestro mundo es una partícula no demasiado importante, por más que nosotros la apreciemos, en la magnitud del cosmos, un universo que se expande conforme a leyes (¿quizás un propósito?) cuyo sentido es el enigma más apasionante al que se ha enfrentado la humanidad.

Quienes pueblan Isla de Lobos son personajes que encuentran la razón de su ser en aquel reducido ámbito, mas desorientan su pertenencia al mundo en cuanto se alejan de la isla y extravían su destino en la mar incógnita. Así nosotros, humildes habitantes de una realidad que denominamos «nuestro entorno», el cual se manifiesta de muchas formas y con multitud de atributos, excepto, justamente, el de ser «nuestro».

La época en que se desarrolla la acción de la novela es un improbable, fabulario siglo XVIII, período que siempre me ha fascinado por aquella pretensión de las naciones, las grandes corporaciones navieras y las sociedades científicas de abarcar, recorrer, catalogar y racionalizar una geografía vastísima, siempre indómita ante la entrañable pretensión de conocer en detalle lo que, por naturaleza, perpetuamente ocultará la esencia de su misterio; entre otras razones, porque el misterio forma parte de la esencia del mundo.

Isla de Lobos es, por tanto, una novela ambientada en un siglo que no existió y en un territorio imposible. Los personajes que la habitan nunca fueron y por eso mismo quise creerlos apasionadamente humanos, y como tales caracterizarlos y presentarlos a lo largo de la narración.

Sé bien llegado pues, amigo lector, a esta Isla de Lobos, una tierra de maravillas y desazones que se encuentra donde siempre estuvo a cobijo el latir sincero de la literatura: en la verdad más allá de las cosas. Al menos en eso creo.

— I —
EL CONTADOR DE OLAS

Cuando llegaron noticias del náufrago en Playa Grande, hubo estupor y sigilo bajo un temor de rumores y acechantes vaticinios en casa de los Rivero. El ama doña Esmeralda, vieja como la mansión, seca como las arenas y visionaria en misterios sepultados en lo antiguo, gimió un lamento de sombras que heló el ánimo y los pulsos a criadas y braceros: «Sabía que estaba cerca, lo predijo Sanaperros».

Doña Aguas Santas Rivero, señora de Isla de Lobos y más dueña que los mares de aquella esquina del mundo, recibió la mala nueva en la sala de bordados, donde solía acogerse para conversar en calma con la memoria fragante de su fallecido esposo: aquel Augusto Rivero, capitán de exploradores y hombre de genio implacable, que arrebató Isla de Lobos a los piratas franceses cuando el mundo aún era plano y cualquier mujer amaba a los marinos que olían a pólvora y sacrificio. «A tal marido, tal hembra», decían todos en casa. Y ninguno erró en el juicio.

Doña Aguas Santas Rivero, sentada en sillón de mimbre, erguida como una flor orgullosa de su eterno, más anciana que el alisio y arrugada como un pliego con letras de enamorado que acude a batirse en duelo, recibió en el bordador al vigilante Ramiro, destocado por respeto y la mirada tan gacha que el brillo de las baldosas punzó sus ojos cerrados, hasta un poco mareados por la costumbre de otear los horizontes óceanos, no a sentirse en la prisión de aquellas salas y mármoles que tajaban su ver libre igual que se encierra a un grillo entre barrotes de aguja.

—A ver, calamidad... Despierta y cuéntame bien lo que sucede —ordenó impaciente y un poco desabrida Doña Aguas Santas Rivero, tal como acostumbraba a dirigirse a sus sirvientes.

—Poco y mucho hay que relatar, mi señora ama —contestó Ramiro sin descomponer el gesto de recato, como de culpa, por ser llevador de noticias que no resultarían gratas, ni para la dueña de la casa ni para nadie.

—Habla de una vez, hombre de Dios.

—Pues le digo, mi señora, y ni miento ni exagero, que estaba por la mañana en mis faenas de siempre, en Cabo Jurado, bajo el muro a medio arruinar y a medio comer por el salitre del faro pequeño, que ya sabe mi señora que ese faro no luce desde el Año que Llovió Arena, y a lo dicho: estaba vigilando la costa como siempre, contando los lobos por si alguna hembra de las preñadas hubiera tenido crías, o dos machos peleones se hubiesen mordido en riña de amanecer, lo que sucede con frecuencia, y uno de ellos, como también es corriente, se hubiera retirado al mar para poner las heridas a mojo, lo que mucho les sana y conviene en estos casos de luchas por el apareo y abundancia en la progenie; y también iba echando la vista al horizonte de rato en rato, tal como me tiene mandado la señora y llevo cumpliendo desde que era niño y mi padre me enseñase el oficio de pastorear lobos marinos y vigilar las aguas, un aguardo del óceano que, como la señora sabe, ha sido completamente inútil hasta hoy, pues a las costas benditas de nuestra isla nunca llegaron navíos ni barcas ni más cosa mojada que las olas...

—¿Vas a ir al grano o tengo que llamar al polaco Jaruzelski

para que te espabile con dos buenos estacazos? —amenazó doña Aguas Santas Rivero al charlatán Ramiro.

Titubeó aún más el añoso guardacostas. Sabía que su ama nunca hablaba en vano y mucho menos advertía de castigos si no pensaba cumplirlos. Entreabrió los ojos y alzó un poco el semblante. Su mirada verdinegra espejeó como remota, flotando en la distancia sin medida a la que desde siempre estuvo acostumbrada, siempre ante el océano y los cielos y las nubes que abultan la barriga de los cielos, y ante el más allá de un horizonte que era, justo y preciso, el nada más.

—Perdóneme la señora, se lo ruego —balbucía—. Comprenda la señora que en razón de mis deberes y el esmero que en ellos aplico, paso mucho tiempo sin hablar con nadie. El silencio no es mala cosa de por sí, también eso he aprendido con los años, a base de soledad, en Cabo Jurado. Pero, claro está y parece lógico: cuando me encuentro con alguien, máxime si es persona principalísima como la señora, se me desata la lengua y las palabras me salen a caudal, igual que a un enfermo de fiebres le surten toses sin que pueda reprimirlas.

Se estiró un poco más hacia arriba el ama de aquellas mansiones, lo que causó gran asombro en el viejo farero sin faro del que cuidar. Cómo una dama tan anciana y tan arrugada podía rebrotar y crecer sobre sí misma, auparse sin despegar las honorables nalgas del sillón de mimbre, y agrandarse hasta verla emperatriz del Atlántico en la sala de bordados, era un misterio que ni él ni nadie en Isla de Lobos podrían nunca entender. Más que un misterio, un milagro. Uno de aquellos prodigios que escondía la señora en su poder y reserva para admirar a muchos y atemorizar a todos cuando más le conviniese.

—El primer perdón, concedido —dijo ella, clavando su mirada azul como fuego de Santelmo en la de Ramiro.

Permanecieron un instante cara a cara quienes, dejando aparte el ama Esmeralda, eran sin duda los habitantes más ancianos de la isla.

—Para la segunda absolución vas a tener más complicaciones, Ramiro, zoquete, holgazán, viejo charlante y liante. O hablas y me cuentas ahora mismo la pe y la pa de este asunto o acabas molido a bastonazos. Tú verás lo que haces.

—Voy súbito —se apresuró Ramiro en contestar—. No desvele, que resumo en dos parpadeos lo que conviene saber. Escuche la señora...

—Escucho —concedió y ordenó al mismo tiempo poderosa doña Aguas Santas Rivero.

—Es el caso que hace apenas cuatro horas, mientras ejercía de lo que soy, vigilante de mares, y estando en eso mismo, la vigilancia, me pareció ver flotar en lo lejano, sobre la comba del medio horizonte, un madero grueso. Y lo más sorprendente: agarrado al madero, un personaje. Aclaro a la señora que llamo *personaje* a la aparición porque no sabía aún si era persona verdadera, hombre o mujer, animal o a saber de que otra naturaleza. Lo cierto es que lo vi. Y como ver, veo, pero de vista no estoy muy bien desde hace un montón de años, corrí a mi casucha en los abrigos del faro para buscar el catalejo, un utensilio muy útil en estos trabajos míos de escrutar los masallases pero que no suelo cargar a todas horas por dos prudentes razones: primero porque me estorba, y segundo y más principal, porque en todo el tiempo que llevo observando y contando las olas que llegan a Isla de Lobos, jamás me había hecho falta.

—Pues ya ves —lo interrumpió la señora—. Siempre hay una primera ocasión para todo. Y todo llega, Ramiro. Todo llega.

—Cuánta razón lleva la señora en lo que ha dicho y en lo próximo que vaya a decir —respondió obsecuente el farero.

—Continúa.

Obedeció Ramiro sin demorarse.

—De vuelta a la peñasca desde la que había divisado el fenómeno, extendí el artilugio, orienté la oteada y... ¡Vive Dios! Me entró como un tembleque de piernas y una aspereza al respirar, como de gran agobio. Qué nervios me poseyeron, señora, pues tal cual era auténtico: a nuestras costas llegaba un náufrago, agarrado a lo que quedaba del mástil de una embarcación de las grandes. Creo que el tal palo era de mesana. Si bien fuera mesana o trinquete, o mayor... Aunque no creo que mayor, en fin... Ese mismo palo ha salvado la vida al náufrago.

—Entonces, entiendo y deduzco que lo recogiste en la playa. En Playa Grande.

—Más o menos.

—Explícate mejor y farraguea menos, Ramiro —advirtió la señora en tono de poca paciencia.

—No en la playa, pues ya sabe la señora, y si no lo sabe yo se lo indico, que en Cabo Jurado apenas hay arenal y, encima, el escaso espacio suele estar ocupado por manadas de lobos. Playa Grande, por muy grande que se diga, es muy pequeña. Lo que hay en cantidad son rocas, demasiadas para arribar en las condiciones que acudía aquel desgraciado sin sufrir daños, romperse algún hueso, tajarse la piel con filos de la escollera y otras desgracias. A pesar de estos pesares me propuse rescatarlo de peligros, sin que él padeciera estropicios ni yo me mojase mucho, pues me tienen ya bastante molido las humedades océanas como para encima darme baños de sopetón, muy traidores para los huesos.

Sonrió Ramiro con discreto orgullo.

—Conseguí mi propósito, señora.

—¿Rescatar al náufrago o no mojarte?

—Ambas cosas.

Un halo de tristeza empezó a tenderse con delicada lentitud por la expresión de doña Aguas Santas Rivero. Lanzó un breve bostezo, como disimulando y tejiendo el camuflaje del tedio para escamotear su disgusto.

—¿Dónde está ahora ese náufrago?

—En mi cuchitril de Cabo Jurado, reponiéndose. Quedó sin sentido nada más asirlo yo entre brazos y arrastrarlo lejos del agua. Dijo: «Ayuda, ayuda…», y se privó del todo.

—¿Dijo esas palabras en nuestro idioma?

—En el mismo que usamos la señora y yo en este momento.

—Continúa, no te detengas —acuciaba doña Aguas Santas Rivero al vigilante de la costa.

—Prosigo. Lo llevé bajo techado, le quité las ropas mojadas y lo envolví entre dos mantas. Después he volcado poco a poco el borde de un vaso de agua sobre sus labios resecos. En dos ocasiones ha hecho amago de despertar, pero en cuanto abrevaba un poco, volvía a su letargo. Por fin, conocedor de la importancia de estas nuevas, he decidido dejarlo a la buena de Dios, en manos de su misericordia y providencia, y llegarme ante usted, señora ama mía, para enterarla de lo sucedido. Y aquí estoy.

—Has hecho bien —concedió doña Aguas Santas Rivero.

—Yo que me alegro de complacerla.

—¿Qué edad tiene? —preguntó ella enseguida.

—¿El náufrago?

—No, la hermana esa tuya que trabaja de puta en un barracón del puerto.

—Disculpe la señora mi torpeza. No había entendido la pregunta.

—¿Qué edad tiene? —insistió doña Aguas Santas Rivero.

El anciano Ramiro supo que cualquier vacilación al contestar sería replicada con un grito de su ama, llamando al forzudo Jaruzelski, para que lo varease hasta cansarse.

—Sobre los cuarenta años.

—¿Estás seguro? Mira que la gente de mar suele aparentar más años de los verdaderos, por la rudeza que el sol y el salitre de los mares ponen en su piel, las muchas arrugas que les salen antes de tiempo, y parecidos estragos.

—Pero es que este, nuestro hallado en las aguas, no es hombre de mar.

Quedó pasmada doña Aguas Santas Rivero. Por primera vez en la vida, que ella supiese y los demás recordasen, permitió que su barbilla afilada como un acertijo pequinés se descolgase, quedando con la boca abierta. Tal su asombro.

—¿Cómo dices, viejo chiflado? —interrogó al farero cuando se hubo repuesto a medias del primer estupor.

—Digo, y no me equivoco, señora mía, mi ama, que el náufrago no es hombre de mar.

—¿Cómo lo sabes?

—Precisamente por lo mismo que ha dicho la señora hace un momento: porque tiene la piel quemada por el sol, cierto, lo que es del todo normal tras andar perdido en las aguas, agarrado a un madero; pero no la tiene, la piel… no la tiene ennegrecida como es propio de la marinería, sea cual sea su empleo y graduación; y tampoco la luce encurtida por el salitre, ni los vientos de babor y estribor, de popa y proa, le surcaron la cara con arrugas. Ni siquiera tiene callosas las manos, señora…

Quedó pensativa un instante doña Aguas Santas Rivero. Parecía reflexionar sobre la complicación grande entre las más grandes de un náufrago que, sobre serlo, añadía a su fastidiosa condición el misterio, acaso la amenaza, de ser hombre ajeno a los mares. En Isla de Lobos nadie se fiaría nunca de quien no hubiese nacido entre el rumor de olas rompientes por los cuatro puntos cardinales. El santero y medio mago Sanaperros solía advertirlo a cuantos acudían a su chozo en busca de consuelo y remedio para toda aflicción: «Dios nos puso en este sitio porque lejos del mar no hay alma, sino tripas vacías y muertos que gimen esperando su turno»; afirmación lapidaria y tenazmente sostenida por Sanaperros a pesar de las largas, a menudo aparatosas controversias teológicas que el aserto le acarreaba con don Manuel de Garceses, sacerdote único en la isla y presbítero de la iglesia de san Atila, también única.

—¿Cuál es tu opinión, Ramiro? —preguntó doña Aguas Santas Rivero al vigilante de mares, tras concluir la cavilación y componerse de nuevo en su figura impecable de anciana señorial y en pleno ejercicio de sus autoridades.

—Yo creo, señora, que el náufrago viajaba en el pasaje de alguna nave comercial, la cual acabó yendo a pique; que se salvó de milagro y ha llegado a nuestras costas por designio del Altísimo, o del destino, o de ambas instancias a la vez, quién sabe.

—¿Y sobre su persona?

—Habría que esperar a que despertase para conocer detalles... Si es que despierta, claro está, y si no ha perdido la memoria o se le fue la cabeza, que es mucho lo que se tiene oído sobre quienes sufrieron el rigor de la deriva durante demasiado tiempo. Sin embargo...

Alargó un poco el cuello doña Aguas Santas Rivero, para escuchar bien claro y no perder detalle de las conjeturas del farero.

—... por las ropas que llevaba, que bien lucidas debieron de ser aunque ahora estén hechas una pena, y por lo blancuzca que observé su piel cuando lo desnudaba para abrigarlo, y la fineza de sus manos, así como también, cabe añadir, el garbo de sus facciones y el tallado gracioso de su nariz, yo estimo, señora mía... Es una suposición... Creo que allá de donde venga debía de ser hombre en acomodo, de esos que, cuando mueren, todos hablan bien de ellos, a excepción de los legatarios, quienes reniegan por envidias y disputas en el reparto de la herencia.

—¿Un hombre acomodado? ¿Como qué, por ejemplo? —apresuraba el ama al farero.

—No sabría decir... Escribano en la fortaleza de algún margrave, o profesor de música, o jugador de naipes. Algo así.

—¿Estás seguro?

—¿Cómo iba a estarlo, señora? —se atrevió a protestar el viejo Ramiro—. Si nada hemos conversado y él nada ha dicho, salvo las palabras idénticas: «Ayuda, ayuda...», nada cierto puedo saber. Tan solo de dos cosas estoy convencido: ni es hombre de mar ni se dedica a un oficio viril como es debido, de los que ponen las manos ásperas y ensanchan los hombros del abnegado.

—Está bien —concedió finalmente doña Aguas Santas Rivero, al parecer resignada a la contrariedad, dispuesta a hacer lo debido y con urgencia.

El vigilante en Cabo Jurado volvió a humillar la mirada, en espera de las providencias que dictase su ama.

—No me gusta... En absoluto me gusta este enredo —se quejó ella antes de disponer. Ramiro no dijo una palabra, esperanzado en que se desahogase a gusto y olvidara más recriminaciones—. Vas a volver a Cabo Jurado, donde cuidarás del náufrago hasta que despierte. Y en cuanto así sea, enciende la hoguera grande sobre las ruinas del faro, para que yo me entere de la nueva y ordene lo que haya de ser.

—Como diga la señora.

—Antes de marchar para tu casa, quiero que hagas dos cosas.

—Escucho con atención y mucha devoción —dijo Ramiro, temeroso.

—La primera, te presentas ante Jaruzelski y le dices que, de mi parte, te arree dos buenas bofetadas, como reprimenda por todo el tiempo que me has hecho perder con tus divagaciones y zarandajas.

—Sí, señora... —se mordió Ramiro el labio inferior.

—La segunda, al mismo Jaruzelski, también de mi parte, le encargas que convoque de inmediato al geógrafo don Sebastián y al santero Sanaperros... Sí, a esos dos... Al sacerdote Garceses lo dejaremos fuera de estas primeras deliberaciones. Que acudan al atardecer, sin demora ni excusa ni pretexto, a la Sala de Riñas y Tumultos, en el tercer piso. El lugar es adecuado, tal como requiere la ocasión, mucho más solemne que este cuarto de bordar.

—Lo que diga la señora —repitió Ramiro.

—La señora ha dicho todo lo que tenía que decir. Ahora ve tú a lo tuyo y cumple bien lo mandado, sin olvidar un detalle.

Ramiro, reverente en la despedida, inclinó tanto la cabeza que vio nítido el trenzado de sus chanclos y algunos cercos que le parecieron lo que eran: lo negro de las uñas de los pies entre agujeros de su humilde calzado.

— II —
ESMERALDA

El ama doña Esmeralda y su hija Albabella llegaron a Isla de Lobos el año conocido como el de Antes del Inglés. De eso hacía tanto tiempo que no quedaba en la isla nadie que recordase verlas bajar del barco donde las habían transportado desde Ultramar de Occidente, y a muy pocos les acudía a la memoria alguna difusa, antiquísima imagen del posterior inmediato a su llegada, cuando Esmeralda, joven, muy linda y abundantemente encinta de Albabella, penaba sus pasos por el puerto y arrabales en busca de quien la compadeciese y le diera algo de comer, no digamos el gran lujo de un techo bajo el que pasar la noche. Bien cierto era, pues, que Esmeralda y su hija llegaron juntas a aquel rincón del Atlántico, aunque dice el relato, y confirma el sentido común, que Esmeralda caminaba por propio pie y la niña iba aún metida en la barriga de su madre.

Un contador de oro al servicio de la corona portuguesa había comprado a Esmeralda en Pernambuco, dieciséis meses antes. Pagó justiprecio por la negra con intención de llevarla a Lisboa y ponerla al servicio de su esposa, dama algarvina de muchos apellidos y guapa de cara, aunque echadora de mal aliento por culpa de un enjuague de intestinos que le quedó atravesado de por vida; el achaque amargaba su vivir tanto como los regustos de su lengua, dulce aunque fatalmente macerada en los jugos hediondos que destilaba la misma razón de su dolencia. Las criadas y ayas y demás personas del servicio torcían el gesto para esquivar los vahos más bien pestilentes de cada una de sus frases. Aunque intentasen disimular la repugnancia, al final todo se sabe y todo se nota. Por más que el matrimonio echaba a la calle a los impertinentes criados que mostraban su asco ante la señora, y llevasen gente nueva para las tareas domésticas y atención personal de la triste dama, todo resultaba inútil. La condena a soledad y rechazo de la bella algarvina se convirtió en auténtico drama para el matrimonio. No ayudaron los remedios recetados por muchos médicos: la masticación de ramitas de mirto y tallos tiernos de palodulce, gargarismos con agua de Gaia curada con vino de San Bernardo de Galafura y otras medicinas que no viene a cuento enumerar, pues esta narración versa sobre la vida y gentes en Isla de Lobos, no sobre el mal de la halitosis y su tratamiento. Vale.

Tampoco ayudó a resolver aquellos desasosiegos que el contador áureo, hombre cabal y muy serio en sus obligaciones, se propusiera cumplir con el débito conyugal sirviéndose, por precaución y delicadeza, de un pañuelo de algodón bastante basto con el que se cubría boca y nariz, cual si fuese un bandolero, tras verter sobre el mismo chorreones de colonia marsellesa y algunas gotas de perfume de Mizorán, esencia que costaba una fortuna, por lo que alguna vez se quejó el contador; pues, decía, más caro le salía yacer con su esposa que ir a los burdeles y fornicar a culo desnudo y cara destapada con hembra que le fuese de agrado.

La algarvina recibía al marido como era su deber, pero lloraba nada más verlo empañolado como asaltante de haciendas y honras. Lloraba durante el acto y tras el acto en sí; y de tanto llorar y tanto disgusto, la infeliz no concebía ni en otoño ni en primavera, épocas del año en que, por tradición, suelen quedar encintas las damas decentes portuguesas, como todo el mundo sabe. Al final, un poco desesperado, concibió el contador de gualdos y canudos la idea de aprovechar un viaje inaplazable que debía emprender al Brasil, en servicio a su rey, para comprar a la esposa un par de esclavas negras que la atendieran personalmente y en condición vitalicia. Suponía que aquellas mujeres, por su natural acostumbradas a la vida penosa, no harían dengues ni se quejarían ni amagarían siquiera un mal gesto por la halitosis de la esbelta desafortunada algarvina. También conjeturaba que si la dama de fétidos hablares lograba al fin sentirse cómoda entre sus criadas, aunque fuesen solo dos negras bajadas de un barco con pasaporte de esclavas, quizás se le atemperaría el carácter, recuperaría un poco la ilusión y, feliz propósito, quedaría al fin encinta y le daría un heredero; todo ello a pesar de las aprensiones y quejas con que lo recibía en el tálamo, cubierto el tenaz consorte como se explicase en párrafo anterior, presuroso cual bandido que hiere acá y huye como rabo de demonio para librarse de la horca.

En resumen, que así hizo el contador. O mejor dicho: a medias lo hizo, porque después de costearse el viaje, cobrar derechos, redactar y diligenciar informes, liquidar réditos y volverse a Portugal, solo le quedó dinero para comprar una esclava, no las dos que pretendía.

Aquella esclava fue Esmeralda.

Lo que sucedió en el periplo de regreso es un misterio. Solo sabemos, y se sabe porque los asuntos de Isla de Lobos se conocen todos por la parte que redacta estas líneas, que Esmeralda resultó preñada, que la barriga empezó a crecerle nada más partir el barco rumbo a Lisboa desde Salvador de Bahía, y que el contador portugués, un amanecer de niebla en el mar de Cabo Verde, redactó dos líneas en trazos gruesos sobre un pliego de vitela: «Contra um tal infortúnio não pode lutar»*. Y se ahorcó en el camarote con su cinturón de cuero antofagasto. Aquel imprevisto marcó la suerte de Esmeralda y de su hija Albabella, para toda la vida.

El navío se llamaba Circe, y de su capitán se ignoró siempre el nombre, por lo que en este mismo instante lo motejamos «El Capitán del Circe». Escrito queda. Pues resultó que el capitán del Circe era hombre muy cumplidor de la ley pero muy contrario a la esclavitud de cristianos, fuesen negros, indios, amarillos o de cualquier otra raza a medio colorar. No le parecía propio ni mucho menos honesto que un hijo de Dios, nacido en el seno de la iglesia como era el caso de Esmeralda, pues ya sus padres y abuelos ejercieron el oficio de esclavos en Pernambuco, donde recibieron las aguas del bautismo nada más nacer, igual que ella... Decíamos, no consideraba ni humano ni cristiano que tales gentes, con tales prendas personales y sacramentos marcados en el alma, fuesen vendidas, compradas y degradadas a esclavitud. Cuestión diferente eran los infieles, consideraba el capitán del Circe, sobre todo si se les había ofrecido la posibilidad de convertirse y la habían rechazado, lo que era usual entre la morería, tan afecta al Corán y otras supersticiones; pero entre cristianos... No era moral, ni siquiera debería ser legal. Así lo afirmaba y de ello estaba más que convencido.

Una vez muerto y entregado a las aguas el cadáver del contador, decidió el capitán del Circe ocuparse de su propia alma. Se había convertido en responsabilidad suya transportar a Esmeralda y lo que de Esmeralda naciese a Lisboa, y entregar ambos seres humanos a la autoridad aduanera para que, una vez censadas y asentadas en la contabilidad imperial de esclavos y otras gentes sin lucro ni herencia, marchasen a servir en la mansión de la viuda del suicida. Pero

---

* Del portugués: Contra tal desgracia no se puede luchar. *(N. de la E.)*

todo aquello le repugnaba. Tanto le alteraba la conciencia y removía sus ánimos que llamó en un aparte al contramaestre del Circe y le dijo:

—Por lo que a mí respecta, la infeliz negra preñada murió el mismo día que su amo, de fiebres, igual que él... Lo del suicidio no hace falta pregonarlo, por cristiana consideración a los deudos de ese locario, cuya alma haya acogido el Altísimo a pesar del horrendo pecado que cometió, empeñado en abrirse él mismo las puertas de ultramundo.

—¿Qué piensa hacer mi capitán con la negra? —preguntó el contramaestre.

—Dejarla en Isla de Lobos, donde atracaremos en una semana para proveer de agua y condumio las bodegas del navío.

—¿Y abandonarla a su suerte?

—Mejor hembra libre en isla océana que esclava en Lisboa, bajo férula de una viuda amargada. ¿No te parece?

No hubo más discusión. Esmeralda, encinta de seis meses y medio, quedó en Isla de Lobos sola y en desamparo, aunque libre del todo. Cuando, parada en el puerto, con los ojos llenos de lágrimas, veía partir al Circe camino de Portugal, se decía entre sollozos:

—¡Carajo! ¡Con lo bien que estaba yo en Pernambuco!

En aquella época nadie tenía muy claro quién mandaba en la isla, aunque constaba a inventario de Portugal y sus posesiones ultramarinas. Por ser tan pequeño el dominio, de poco más de once leguas terrestres de norte a sur, y poco menos de ocho de este a oeste, ni siquiera aparecía en los mapas de la Real Casa de Geografía, ni en los tapices con mucho dibujo y color que exaltaban el poder colonial lusitano y ornamentaban las salas imperiales de Su Majestad en Lisboa. Solo figuraban los contornos de Isla de Lobos, con sus calas y escolleras y su faro y su puerto único y por tanto principal, en las cartas de marear a la minucia que usaban los oficiales de navíos transatlánticos, tanto de comercio como de guerra. Por lo demás, Isla de Lobos era un grano de mostaza sobre los blancos manteles de una mesa para cien comensales, un trozo de rocas volcánicas, arena a medio apolvarar, escolleras con más filo en su pedriza que una compañía de lanceros hesianos, alguna playa minúscula donde se agrupaban los lobos marinos, estrechos plantíos, dos pozos de los que surtía agua potable aunque no muy fresca, diez o doce granjas, medio centenar de casas, una iglesia, un almacén de efectos, una taberna al aire libre y un prostíbulo construido con tablones de deshecho y trozos de velamen inservibles, recosidos con maña marinera. Y entre aquella parca habitación de granjas, huertecillos de enjuto provecho, casuchas que crujían sacudidas por el viento, iglesia, almacén de buena guarda y taller de putear, hormigueaban de día y de noche marinos y gente brava de muchas naciones. Entre los emporios de Cabo Verde y las Islas Canarias no existía otro remanso donde descansar y aprovisionarse, lo que era de todos sabido y por todos aprovechado: gente holandesa de tez lechosa y cabellos rojos como pelambre de mazorca, aventureros de Hamburgo y Malmöe, algunos de cuyos jefes se ufanaban de haber acompañado al normando Betancourt en la conquista de Lanzarote y El Hierro, cosa que ninguno creía, y si alguno diera crédito a la historia por loco lo tomarían; piratas de Mauritania y la Berbería que siempre acudían en son de paz, comerciaban oro y plata, compraban unas cuantas mujeres del burdel y disponían partir con ellas en sus naves, para estar entretenidos entre pillaje y pillaje o para matarse unos a otros por líos de hembras; navegantes sin bandera que llegaban extenuados, sedientos, con hambre rabiosa en las tripas, desde todas las costas allende el mar a Occidente, de Portoalegre y Recife, de Paramaribo y Caracas. Incluso desde Cuba y Trinidad arribaban deseosos de avituallar, singlando hacia Santiago y Boa Vista, donde, decían, se ajustaba buen comercio de tabaco, mostaza y chiltepín. Casi siempre eran tripulaciones y barcos fletados en consorcio por algunas compañías de trajín ultramarino, las cuales pagaban patente y se arriesgaban por su cuenta al libre cambio en el mar. Y casi siempre aquellos azares terminaban en desastre, con muchos marinos muertos por el hambre, las fiebres y el hierro de los piratas.

Había también notable número de franceses en Isla de Lobos. Un teniente de la armada borbónica, La Párouse de nombre, había amarrado su flota dos años antes: una corbeta de dieciséis cañones y una carraca con los bajos repletos de especias americanas. Todos en la isla creyeron que se mantendría un par de semanas abrigado en el puerto, un mes como mucho, pero el tiempo pasaba y pasaba y el francés no daba señas de pensar en la partida. Por lo visto y observado y lo que entre unos vecinos y otros se cuchicheaba, La Párouse aguardaba noticias acerca de la situación en Francia, donde los asuntos de la revolución volvían impredecible la suerte de sus barcos, sus marinos y de él mismo en cuanto atracaran en destino, la hermosa y añorada La Rochelle.

—Igual los reciben como héroes que los ahorcan —decía el farero Ramiro cada vez que visitaba la taberna—. Las cosas de la política, ya se sabe. Hacen muy bien en pensárselo.

—A buenas horas iba yo a pensármelo —le replicaba alguno—. Con una embarcación de dieciséis cañones, cuarenta hombres curtidos y esa barcaza cargada hasta los mástiles de buena mercancía, seguro que los acogen de buena gana, mande quien mande en su país.

—Pues ellos no están tan seguros.

—Es que los franceses, de por sí, son gente de poco confiar unos en otros.

—Sus razones tendrán —sentenciaba Ramiro.

Por el motivo que fuese, allá quedaron los barcos de La Párouse, y en Isla de Lobos adornaban el mismísimo Año del Inglés. Pues sucedió entonces, ese mismo año referido, que surcó aguas próximas a la isla un bergantín con bandera de su majestad británica, con rumbo a Praia, donde tenía órdenes de unirse a la flota que zarparía en dirección a las costas de Malé, para conquistar el Camerún o alguna otra empresa bien difícil y bien descabellada, de las que solían acometer los ingleses a falta de mejor provecho en los trabajos del mar; y también, como decían los rubicundos holandeses, «con tal de mantenerse a distancia del clima horrible y las feísimas damas que abundan en su país como las avispas en los viñedos italianos».

Pasó el bergantín a unas cuatro leguas marinas de Isla de Lobos, y fue tierra avistada por el vigía de la nao. A nadie extrañó que cambiasen derrota los ingleses, dirigiéndose a puerto para intercambiar algo de plata por agua y provisiones. Lo raro fue que, en efecto, dirigieron su nave hacia la isla, mas no con propósito de escalar, sino de conquistarla. Acaso navegaban menguados de bolsa, o el capitán del bergantín era un redomado avaricioso. Nunca se supo el porqué de aquella decisión. Los hijos de Britania han sido complicados de entender ya desde tiempos de los césares, y no digamos tras la conquista normanda bajo estandarte del implacable Guillermo. Gente rara.

Como cargaban poca cañonería en el bergantín y no iban pertrechados para iniciar un asedio, tomaron los ingleses por estrategia desembarcar todos sus hombres hábiles, treinta fusileros y veintidós marinos armados y en condiciones de luchar a degüello, en la estrada pequeña llamada Playa Grande, donde se agolpaban los lobos marinos, justamente en época de celo. La intención de los invasores era formar unas cuantas columnas de avance, atravesar la isla, dar quemarropa a toda resistencia y plantar su bandera en el humilde campanario de la iglesia de san Atila.

Antes de iniciar el desembarco, como notaran que el número de lobos juntados en la playa para sus afanes de apareo era abundante y les estorbaba la maniobra, la emprendieron a disparos de fusil y soltaron unas cuantas salvas de cañón para espantarlos, lo que consiguieron a medias. Esa fue su perdición. Las descargas y el humo de la pólvora alertaron a la corbeta francesa sobre su posición y planes de combate. Con gran rapidez y pericia, pues ese mérito no se le podía negar, el capitán La Párouse enrutó su embarcación hacia el estrecho fondeadero donde los ingleses se las tenían a tiros y metralla contra los lobos de mar. Sorprendió a la nave enemiga sotaventada, la acribilló a cañonazos, la desarboló tras dos horas de bombardeo y, otras cuatro horas después, consiguió hundirla del todo. Del desastre se salvaron catorce marinos ingleses, a los cuales se atendió de las heridas que todos sufrían, se les dio de comer y beber y se les hizo prisioneros sin barrotes ni cadenas, bajo promesa de ir desarmados a todas partes, no enredar y no armar gresca en la isla. A los oficiales del bergantín inglés no se les pudo atender ni tomar palabra de cautivo, pues sus mismos hombres, en lo más sangriento de la catástrofe, los habían echado al mar después de abrirles las tripas a cuchilladas, por temerarios, inútiles y, decían, «cobardes que no fueron capaces de disparar un solo cañonazo al enemigo, desperdiciando munición y pólvora contra infelices lobos marinos que con ningún daño amenazaban».

Esos fueron los hechos notables de la guerra que hubo el Año del Inglés. Tras aquella gesta, el capitán La Párouse se proclamó defensor de Isla de Lobos, autoridad portuaria y custodio del orden público. Es decir: dueño de la plaza y sus aguas circundantes.

—Si Portugal no se ocupa de sus tierras y es la sangre francesa quien ha de defenderlas, en nombre de mi señor, el mismo rey de Francia, las tomo a mayor grandeza de su corona —fue la explicación que dio a todos sobre el cambio de propiedad de Isla de Lobos.

Debe decirse, no obstante, que el discurso de La Párouse, por muy repolludo y sincero que le saliese, resultó bastante exagerado de una parte y desatinado de la otra: ni una gota de sangre había perdido ninguno de sus hombres en la batalla contra los ingleses; y, que se supiera, en Francia ya no había rey sino un Directorio, o institución con nombre igual de profano, que se dedicaba a administrar la República y cortar la cabeza a los nobles. Pero como al capitán le hacían ilusión aquellos protocolos y en la isla se agradecía su puntería y diligencia en hundir el barco inglés, nadie discutió sus pretensiones.

—Cuando se enteren en Portugal, conflicto tendremos —vaticinó el presbítero de san Atila, don Manuel de Garceses.

—Si es que llegan a enterarse —puntualizó un feligrés.

Asintió el sacerdote antes de santiguarse dos veces. Luego susurró:

—Mejor sería la inopia. Total, para lo que les importamos y el caso que nos hacen...

Entre aquellas emergencias, pleitos de armas llevar y otros acasos, Esmeralda había conseguido sobrevivir en Isla de Lobos, acogiéndose primero a la caridad del presbítero de san Atila, quien le daba cada día medio chusco de pan, un tazón de almodrote y dos chirimoyos, y la dejaba dormir en la cuadra del casucho parroquial, anejado al templo; favores que tenían su correspondencia por parte de la negra: no echar mal de ojo a nadie y no andar cerca del puerto, mucho menos de la taberna y prostíbulo donde marinos y pescadores jugaban naipes, bebían, blasfemaban y fornicaban con mujeres de todo yacer, algunas de las cuales eran feligresas de san Atila. Ovejas descarriadas, pero ovejas del rebaño parroquial, a fin de cuentas.

Esmeralda acataba las condiciones del sacerdote, aunque a veces se reía de ellas:

—¿Quién le ha dicho a usted que soy echadora de mal de ojo?

—Nadie —respondía el presbítero—. Pero las mujeres de tu raza tienen fama de nacer sabiendo. Mejor curarse en salud.

—¿Y a qué tendría yo que andorrear por donde las putas? ¿No ha visto usted la barriga que me lastra?

—No estoy ciego, Esmeralda —argumentaba el hombre de Dios—. Te veo embarazada y también te veo hembra muy hermosa, muy agraciada de facciones y tentadora de formas. Y como no estoy ciego ni me hago el ciego, sé que hay hombres a los que no les importaría que cargues esa barriga. Te ofrecerían dos cobres, o más, y tú accederías tarde o temprano.

—Se equivoca su eminencia. No me vendo por dos cobres.

—¿Y por tres? ¿Y por diez?

—No sabe su eminencia el precio que han tenido estas carnes mías, y el que alguno pagó por ellas.

Bajó la voz el sacerdote, por discreción y temor en la hora de referirse al más espantoso pecado, lo que era semejante a mentar al diablo.

—Sé que tu antiguo amo, el contador de oros y ajustador de cuentas, se quitó la vida al saberte embarazada y, por tanto, puesto su honor en un terrible compromiso. Dios le haya eximido de la condena eterna.

—No sabe su eminencia. No sabe… —repetía Esmeralda, bastante misteriosa.

Albabella nació en casa del presbítero, quien proveyó para la ocasión un camastro, sábanas limpias y una artesa de barro que resultó muy útil a las dos viejas comadres que asistieron a Esmeralda en el parto. A los pocos días, don Manuel de Garceses consiguió para la negra plaza de sirvienta en el hogar de un pescador anciano, casado con una puta redimida. La magdalena se dedicaba en cuerpo y alma a cuidar del esposo que la había sacado del oficio. Mientras estuvo encinta, ni siquiera intentó el presbítero colocar a Esmeralda en alguna casa decente, pues todos la veían como lo que parecía: una negra en abandono, sin dueño ni techo, preñada por a saber quién. Tras el alumbramiento, como esperaba el sacerdote, cambiaron de inmediato aquellas impresiones. Esmeralda se convirtió, de la cena al desayuno, en una pobre madre desvalida que necesitaba auxilio para que no se le secasen los pechos y poder amamantar a su criatura, aquel ser inocente, recién llegado al mundo y recién pasado por las aguas del bautismo, que ninguna culpa tenía de los errores que hubiese cometido tiempo atrás su desdichada madre. Una cosa es una negra sola y con fama de perdularia y otra una madre con hija, sin amparo ni perro que les ladre. Del desprecio a la compasión va un pálpito, y ese latido de piedad llegó a los corazones en Isla de Lobos por el milagro de siempre: el nacimiento de un rorro.

Albabella vino al mundo de madrugada, y por esa razón le pusieron tal nombre las parteras, si bien antes escucharon el dictamen de don Manuel de Garceses sobre la pertinencia cristiana del mismo:

—De completo hay que asentarla como Albabella de la Santísima Madre de Dios, nombre impecable que llevó toda la vida una santa paduana, allá por el Siglo de los Barcos a Remo, mujer virtuosísima y casta como el mármol a la que, justamente, se le aparecía la Virgen María al amanecer, los primeros martes del mes de abril de todos los años acabados en siete.

Estuvieron muy de acuerdo las comadres y también la recién parida. Y Albabella, como Albabella fue bautizada y con Albabella se quedó para siempre.

Durante su primer año no hizo la cría otra cosa que andar colgada en brazos de su madre, abrevada a la teta mientras Esmeralda limpiaba, barría, cuidaba del fuego, cocinaba y caceroleaba en casa del anciano pescador. La negra trabajaba, él dormía sus achaques en un butacón de arpillera, y su esposa, la bagona arrepentida, cotilleaba con sus vecinas:

—La negra es negra del todo, pero la niña salió blanca como la leche. Cuando la lleva encima, parecen una taza de café y un terroncito de azúcar. Cualquier día, como si azucarillo fuese, embebe a la pobre cría y le contagia la color.

—Si fuese su natural volverse negra, lo habría hecho a las pocas semanas de nacer —contradecía una vecindona, sabedora de estos asuntos—. Si no es negra ya, no lo será nunca.

—Pues vaya misterio —cavilaba otra.

—No tanto. A su padre habrá salido la criatura —decía la dueña del hogar donde Esmeralda trasteaba.

—Y su padre... ¿Quién fue?

Amainaba el tono la rescatada del puterío para contar aquella historia terrible del contador portugués, quien se enamoró de la negra, la compró de esclava, la preñó en Salvador de Bahía y se ahorcó en alta mar por no sufrir la vergüenza de volver a Lisboa con la esclava y un recién nacido que sin duda era su vivo retrato.

Esmeralda, entre escobas y fogones, oía parlotear a su ama y a las vecinas. Juntaba los labios gruesos, tan sensuales, para que no se le notase la sonrisa.

«No saben... Nada saben», pensaba.

Y apretaba un poco más los labios.

— III —
Playa Grande

—¿Y tú, quién leches eres?

El náufrago parpadeó unas cuantas veces antes de contestar a Ramiro.

—Pues el caso, señor mío, benefactor mío, es que no estoy muy seguro.

Había dormido dieciséis horas seguidas, sin apenas alterar la postura en que lo dejó el farero, abrigado entre dos mantas. Después, poco a poco, fue pasando del roncar profundo a un duermevela bastante agitado, lo que pareció a Ramiro algo normal, dados los tránsitos y penurias del recién llegado a la isla. Aprovechó el vigilante de la costa esos momentos en que el náufrago parecía espabilarse para ir dándole sorbos de agua, lo que el infeliz, aún entre sueños, parecía agradecer. Cuando llegó la noche, avivó Ramiro la leve fogata que calentaba su chiscón, cosa que no habría hecho en circunstancias normales, pues Isla de Lobos, en cualquier época del año y a pesar de lo desabrido de los vientos y forzudo del oleaje que la cercaban, era enclave de temperaturas acogedoras. Nunca hacía frío de verdad ni calor como para sofocar a ningún cristiano, lo que todos saludaban como bendición de los cielos y un favor muy piadoso de la divina providencia. Solo habría faltado que la isla, sobre ser parca en extensión, azotada de perpetuo por el viento de Dakar y otros vendavales atlánticos, reñida en sus cuatro esquinas con el ímpetu de las olas, resultara un lugar frío, de los de cubrirse con pieles y guantes y calzar pesadas botas. La vida, en esas condiciones, habría sido peor que los infiernos.

Al amanecer, el náufrago despertó. Se quedó mirando a Ramiro muy fijo, sin decir palabra. El farero sin faro que atender lo tranquilizó con estas palabras:

—No temas. Estás a salvo. Te saqué de las aguas y he cuidado de ti.

El náufrago abrió la boca, como para articular frases de agradecimiento o algo que se le pareciera. Pero ni una sílaba se juntó entre sus dientes. Ramiro, con piadosa cortesía y en fraternidad con el damnificado, decidió expresarse por señas. Extendió la mano abierta, indicándole que aguardase y tuviese paciencia. Ya le volverían las fuerzas y el sano juicio. El náufrago acertó a mover la cabeza de arriba a abajo, en ademán inequívoco de que había comprendido al farero.

Durante un buen rato se dedicó Ramiro a remover la sustancia de un pote bastante pringoso colocado sobre las ascuas. En la olla iba echando cada día lo que mejor aparejase, fuera verdura, carne o pescado. Con el paso de los años, el sabor del guiso se convirtió en único, lo aderezara el farero de una manera u otra. Con paciencia de alquimista había conseguido destilar un potaje con fragancias severas, un tanto rancias, poco apetitoso, regular de digestivo pero, eso sí, muy saciante. Era su dieta de contador de olas solitario ante el océano, el sabor de su aislamiento en Cabo Jurado, el inexorable *melás zomós** con que nutría su cuerpo y, por elemental sentido de la economía, alimentaba la frugalidad de su espíritu.

---

* Maná celestial con que se nutría el pueblo judío tras su huida de Egipto. (*N. de la E.*)

Cuando Ramiro consideró que el pote estaba en sazón, se dirigió nuevamente al náufrago.

—¿Tienes hambre?

Al fin pudo el rescatado de las aguas decir dos palabras seguidas. Primero negó con leve cabezada, cierto. Pero después habló:

—Estoy un poco mareado.

—Es lógico —hablaba Ramiro en voz muy queda, para no alterarle los nervios ni despertar dolor de cabeza al náufrago—. Has dormido muchas horas, después de una estancia en el mar que no imagino lo larga que fuese, y en unas condiciones terribles, eso seguro. No hay nada extraño en que no sientas hambre ahora, pero una cosa te digo: esa debilidad y angustias que aún te rondan por el seso y las tripas son en gran parte debidas a la falta de alimento. Deberías comer algo, aunque sea un bocado. Lo suficiente para ir reponiéndote sin que te entren arcadas y lo vomites todo.

Aceptó el náufrago. Con mucha parsimonia fue llevándole Ramiro cucharadas del guiso a la boca. A la tercera, hizo aquel un gesto de renuncia.

—¿Sientes náuseas?

El infeliz habría respondido sinceramente que no eran náuseas, sino repugnancia por el comistrajo. Calló no obstante, por educación y gratitud hacia su salvador.

—¿Puedes darme un poco de agua?

Enseguida, confortadas las tripas por el guiso, bastante bien soportado el regusto de metal y grasa vieja que quedaba en su lengua, durmió otro poco el náufrago.

Ramiro aprovechó para salir a intemperie y encender la hoguera grande junto al faro. De esta forma, tal como tenía mandado, dio aviso a los habitantes de Isla de Lobos, y en especial a doña Aguas Santas Rivero, de que el náufrago estaba sano y, más o menos, consciente.

Despertó a mediodía el hallado en las aguas. Ramiro le apreciaba mejor color.

—¿De verdad no sabes quién eres?

—Es tan raro… Qué agonía y qué estar sin estar en mí —lamentaba el náufrago—. Aunque si me preguntas dónde estoy, sé responder que en tu casa, tal como dijiste hace unas horas. Y recuerdo muy bien todo lo demás. Y si me preguntas por el nombre de esto o aquello, sé también decirlo.

Clavó un instante su mirada en el techo del zaquizamí.

—Techo… paredes, puerta. Fuego —señalaba, alargando la barbilla, hacia la débil candela donde el guiso de Ramiro continuaba burbujeando—. Ascuas, brasas… mantas, ropa, pies y manos… Tú y yo. Sé lo que es cada cosa, todo lo que hay en esta choza y más allá de la choza… Todo está en mi cabeza y en mis recuerdos: el mar, la tierra, el viento, las aves, las rocas… Todo.

Se le escapaba una lágrima al perjudicado.

—Pero de mí, no sé nada.

Insistió Ramiro con mucha delicadeza, para no hacerse pesado:

—¿No recuerdas lo que te sucedió? ¿En qué barco viajabas y por qué estabas en él cuando sobrevino el naufragio que acabó por acercarte a Isla de Lobos?

—Nada recuerdo.

Lanzó un suspiro el náufrago como una interrogación a su espíritu.

—¿Isla de Lobos has dicho?

—Así es —respondió Ramiro—. En Isla de Lobos te encuentras.

—Conozco ese nombre.

—Algo es algo —se alegró el vigilante de la costa—. Todo es empezar.

—Pero, ay, ay… Maldita suerte la mía —contradijo el náufrago al optimismo de Ramiro—. Conozco el nombre de este lugar igual que sé el de todos los rincones del mapamundi.

—¿Cómo es posible?

—Todos, créelo. Asia a este lado, al otro Europa, África por aquí, las Indias de Occidente para allá, la Malasia y el mar birmano, Punjab y Karakórum, Santa Fe de Bogotá y Veracruz…

Agitaba los brazos, señalaba los puntos cardinales extendiendo el índice para demostrar a Ramiro que no fingía aquellos conocimientos.

—¿Isla de Lobos también?

—También. Esta isla y las que hay más al sur, rumbo a la Buena Esperanza, las Caboverdianas. Y las que quedan al norte, todas de la Macaronía, cuales son Tenerife, la Canaria Grande, Fuerteventura… Y más allá aproximadas al continente europeo, las de Madeira y las Azorianas…

—Entonces, seguro que eres geógrafo —aventuró Ramiro.

—No lo creo.

—¿Por qué?

—Porque le tengo miedo al mar. Más que miedo, pavor. Habría sido el geógrafo más cobarde y desdichado de las crónicas viajeras.

—Es posible que ese recelo te venga de nuevas, por haber naufragado —insistía Ramiro en su hipótesis.

—No… Estoy seguro de que no es así. Temo al mar desde la niñez. Desde siempre.

—Pero vamos a ver, hombre de poco silogismo… —se impacientaba Ramiro—. ¿Cómo es posible que tengas recuerdos de tu niñez, que sepas por qué andurrial de los mapas queda Isla de Lobos, y no seas capaz de acordarte de quién eres? Y aún digo más, por decir y ser prolijo en argumentos, pues a veces el exceso no sobra y lo que abunda no sacia: ¿Cómo te explicas que siendo tan temeroso de las aguas océanas, te encontrases en alta mar, a bordo de una nave que fue a pique, te libraras del desastre y resistieras agarrado al mástil de tu salvación durante quién sabe cuánto tiempo? De suyo cabe suponer que si eras miedica ante las olas, te habrías ahogado enseguida. ¿No crees?

—No lo sé, buen amigo. No se me ocurre qué contestar.

—Pues piensa, demonios. Piensa.

—Ya lo hago. Creo que voy a desmayarme…

Se alarmó Ramiro. Necesitaba saber sobre el náufrago, así como llevar cuanto antes noticias ciertas del desventurado a su ama doña Aguas Santas Rivero. Pero no le convenía atosigar al convaleciente, al extremo de hacerle perder los ánimos. Procuró amainar en su urgencia parlanchina. Habló despacio y, de nuevo, en voz baja y suavona.

—Calma, calma, muchacho. No te apures ni mucho menos te abismes en la desesperación. Lo que te sucede, sin duda, es que a causa del sufrimiento, el zarandeo del mar, la sed y el hambre, has extraviado momentáneamente la memoria. Lo que más te conviene ahora es reponerte.

Asintió el náufrago con pesaroso ademán.

—Te convendría comer un poco más.

Señaló Ramiro el pote donde su estofado de grasa, verduras, carne de res añeja, colas de lamprea y raspas de quimera bullía pletórico como los carrillos de un niño gordinflón, con lentitud pastosa de reloj de arena estropeado, obturada la faríngula por la humedad y la roña.

—¿No tienes un poco de fruta fresca?

—La hay, pero no sé si convendrá a tu estado de salud. Mejor echar algo caliente a ese estómago.

—La fruta, por favor —suplicaba el náufrago.

Accedió Ramiro enseguida. Rebuscó en una esquina del cuchitril hasta dar con un saquito de lona, del que sacó un chirimoyo y dos bananos.

—Come cuanto apetezcas, pero despacio. Con mesura. Tampoco conviene que te atiborres.

El hambre de muchos días empezaba a clamar firme en las tripas del náufrago. Se absolvió a sí mismo por despreciar la extravagante advertencia del farero. ¿Cómo iba un varón adulto, necesitado de comida, a atiborrarse con un chirimoyo y dos bananos?

Abrió Ramiro el chirimoyo con una navaja. Lo comía el náufrago tal como le había dicho: despacio, procurando sorber todo el jugo que se derramaba entre los dedos y no tragarse ninguna pepita.

—Dijiste antes que conocías este lugar, Isla de Lobos —reemprendió el farero la charla.

Asintió el náufrago. Después escupió dos semillas, grandes como la uña del pulgar y negras como la uña de cualquier dedo machucado por un martillazo sin tino.

—¿Y qué sabes de este sitio?

—Que lo llaman Isla de Lobos porque en sus costas abundan los lobos marinos.

—Bueno, bueno —sonrió Ramiro—. Eso es exagerar. Costas, lo que se dice costas, apenas tenemos un par de calas donde pueden fondear los barcos, sin contar el puerto, claro está. Lo demás son acantilados y escolleras a los que ningún capitán de navíos se acercaría menos de media legua. Y la abundancia de esos bichos, nuestros malcriados lobos, a los que algunos llaman perros de caleta, solo es evidente en la única playa de la isla. Me refiero a Playa Grande.

Avivó la lumbre Ramiro porque le parecía que el borbotón del potaje iba decayendo.

—Justo aquí mismo, a unos pocos metros —ilustraba al náufrago—. Playa Grande, que es una playa muy pequeña, se encuentra pasado el declive de las rocas altas donde nos encontramos. Yo soy su vigilante.

—¿Vigilante de una escueta playa? —se extrañó el náufrago—. ¿Así te ganas la vida?

—No, desde luego —contestó Ramiro como quien saca el orgullo a lucir entre picos de loro y plumas de cotorra—. Es decir, sí. Mi trabajo consiste en vigilar Playa Grande y todo el contorno sur de la isla, desde mis alturas en Cabo Jurado; también atender el faro, el cual, felizmente, lleva muchísimo tiempo sin encenderse, ni falta que ha hecho. También me ocupo de pastorear a los lobos marinos para que no medren en número exagerado.

—¿Por qué?

—Porque esas bestezuelas comen, cada una por su cuenta, de treinta a cuarenta kilos de pescado al día. Si se multiplicasen como las hormigas, acabarían por arruinar a la docena de pescadores que echan sus redes por el litoral de poniente. Y con la falta de pesca, vendría la hambruna.

—¿Y cómo hacéis para mantener razonable el censo de lobos?

Ramiro se aupó despacio. Se dirigió a su camastro y de debajo sacó una funda de arpillera; desarmó la funda, algo ceremonioso, para mostrar después al náufrago un poderoso bastón rematado por un cabezal de hierro en forma de martillo.

—Los mato cuando se hacen viejos. Los pescadores recogen a los ajusticiados y los trasportan al almacén junto al puerto. De la grasa hacen aceite para las lámparas y un jabón muy recio al que llaman «monsia». De la carne salen filetes, y de los huesos y dientes utensilios para todo avío.

—Me parece terrible —lamentó el náufrago.

—Lo es, no lo niego… Pero son ellos o nosotros. Podríamos haberlos exterminado y concluir el problema de una vez por todas; pero eso, aparte de una gran crueldad, habría significado acabar con la industria del aceite, el jabón, la carne fresca y el utillaje osario. Y además…

Interrumpió la frase Ramiro, como si se hubiera descubierto a sí mismo a punto de cometer una indiscreción.

—Además, ¿qué? —preguntó el náufrago, con el gusanillo de la curiosidad picoteando en su ánimo junto con el dulzor de la fruta.

—Además... Nada, no tiene importancia —rehuía la cuestión el vigilante de la costa.

—Te lo ruego —sonrió el náufrago por primera vez, lo que acabó de desarmar a Ramiro—. La charla es amena, la fruta deliciosa, y se está ahora tan a gusto, caliente y cómodo en este cobijo tuyo...

—No es nada. Una bobada. No podemos matar a ningún lobo sin que Albabella dé su permiso. Es ella quien señala a los más viejos, los que ya no tienen deseos de reproducirse ni ganas de vivir, los que no participan en peleas por conseguir hembras y se retiran a una roca solitaria para dejarse adormecer bajo el sol, esperando la muerte.

—Esa tal Albabella, ¿también pastorea lobos de mar?

—No. Claro que no.

—¿Entonces? —no acertaba el náufrago con el mollar del enigma.

—¡Demonios! ¡Me haces hablar demasiado!

—Pero la charla me anima, me hace bien y poco a poco me siento recuperado de las últimas tristezas, tan grandes como deben de haber sido.

—Eso sí. Eso es verdad —aceptó Ramiro de mala gana.

Insistía por tanto el náufrago, entre divertido y ya vorazmente fisgón.

—¿Quién es Albabella?

—Caray, qué pregunta —se quejó el farero—. Albabella es, por así decirlo, ama de los lobos, la que habla y le acuden y grita y la obedecen.

—¿Qué me dices?

—Lo que oyes.

—Jamás supe de un fenómeno semejante.

—Ni seguramente escuches ni veas nada parecido, en jamás de los jamases.

Acabó el náufrago el segundo banano. Se arrellanó satisfecho, a medio sentar entibiado por las mantas.

—Entonces, ¿esa mujer es la que manda en Isla de Lobos?

—No. ¡Qué disparate! —reía Ramiro por la necedad del náufrago.

—¿Quién manda entonces?

—Ya te irás enterando —contestó Ramiro con paciencia de confesor—. Poco a poco, muchacho. Los asuntos de Isla de Lobos hay que aprenderlos poco a poco.

Empezaba a adormilarse de nuevo el rescatado de las aguas. Antes de cerrar los ojos y sentir beneficio por la medicina del sueño, musitó una súplica.

—Necesito otra pregunta. O mejor dicho, una respuesta.

—Te escucho —dijo Ramiro.

—Sé dónde me encuentro, pero no cuándo. Dime… ¿En qué año estamos?

Se rascó la coronilla el farero antes de responder.

—¡Uf! Vaya pregunta. El mundo es tan largo, y tan ancho por sus extremos… Además, no sé de dónde vienes ni en qué calendario cayeron tus desgracias como cagada de mosca. Podría aventurar una fecha, cualquier número, y lo más seguro es que me equivocase.

—¿No sabes en qué año vivimos?

—Eso sí lo sé —replicó Ramiro, risueño por lo triunfante—. Si me preguntas por el año en que somos, ni idea. Pero el año en que vivimos es otra cosa distinta. En Isla de Lobos, sin duda alguna, nos encontramos en el Año del Náufrago.

— IV —
SALA DE RIÑAS Y TUMULTOS

.

En otro tiempo, la Sala de Riñas y Tumultos había tenido un nombre de más empaque: Tribunal de Justicia Insular; a cuyo cargo estuviese don Augusto Rivero, Ministro Único y Primer Magistrado de Isla de Lobos. Pero todo cambia, dice el dicho, y dice bien. Tras la muerte de don Augusto, devorado por lobos de mar en el trance sin fortuna de una cacería insensata, ocupó su plaza, por derecho hereditario, la viuda del Primer Magistrado, doña Aguas Santas Rivero. No fue aquella sucesión del gusto de casi nadie, pues todos en Isla de Lobos estaban convencidos de que la mujer, por muy adusta y mandona y despótica que fuese, porque lo era, nunca podría equipararse en sapiencia jurídica y mucho menos en temple de ánimo, serenidad y firmeza, a su difunto marido. Don Augusto Rivero fue un hombre implacable, de un rigor extremo en el cumplimiento de la ley y en la exigencia de que hiciesen idéntico los demás, y lástima sentía el vecindario por quien se descarriase y mereciera comparecer ante el Primer Magistrado y oír su castigo. Persona de temer y humillar la cabeza a su paso fue don Augusto Rivero, pero eso sí: jamás, que se supiese, había perdido las cabales formas ni le entraban nervios y mucho menos inquietud aunque el Volcán de Isla de Lobos crujiera siete veces durante la misma noche. Temía el común, tanto varones como mujeres, que la viuda doña Aguas Santas, contristada por la muerte del esposo en circunstancias bizarras, casi siempre alterada de ánimos y un poco dada a la histeria, acabase por convertir el Tribunal de Justicia en un gallinero, donde entrarían los reos y litigantes, chillaría un rato la señora y saldrían todos desplumados. Fue en esa época cuando alguien pronunció la célebre frase que sentenciaría el nombre de aquellas severas estancias, donde se había hecho justicia durante muchos años. Ese alguien dijo:

—En vez de Tribunal, esto va a convertirse en una sala de riñas y tumultos, ya lo veréis.

Lo dijo con voz demasiado briosa y en el momento fatal en que doña Aguas Santas Rivero pasaba de cerca, tan cerca como para escuchar la infamia. Plantó cara al maldiciente, llevó una mano a la cadera y con el índice de la otra señaló al deslenguado. Lo amonestó:

—Con un tribunal de justicia me atrevo, y con un corral de pericas reñidoras y cabronazos parlanchines como tú, también. Tanto me atrevo que, Dios mediante, estás citado para mañana, a la hora de espantarse las gaviotas tras el cuarto toque en la campana de san Atila, para comparecer ante mí y recibir la sentencia que mereces, por chismoso y por faltarme al respeto, lo que viene a ser igual que escupir sobre la memoria de mi esposo. Pues soy heredera de sus cargos, de sus bienes y de su honra. ¿Lo has entendido bien, mentecato?

Al cotilla le temblaban los belfos. Le faltó arrodillarse para suplicar perdón a doña Aguas Santas Rivero.

—Y mira, te voy a hacer el gusto. Ya que has rebautizado el Tribunal de Justicia, y lo llamas sala de riñas y tumultos, tienes el privilegio de estrenarla. A la hora dicha, mañana en punto, comparecerás en esa Sala de Riñas y Tumultos donde te estaré esperando.

Así fue como la institución cambió de nombre. Sobre la

pena que recibió el dicharachero apenas quedaba memoria en Isla de Lobos, si bien algunos ancianos decían haberlo visto, años después, tuerteando por el acantilado norte, donde se juntaban para beber ginebra destilada de mondas de patata los marinos ingleses hechos presos tras la fallida invasión de la isla, mucho tiempo atrás. El hombre había tomado por costumbre emborracharse a diario y no decir una palabra más alta que otra. Se sospechaba que, en realidad, no pronunciaba un amén porque doña Aguas Santas Rivero, aparte de ordenar al polaco Jaruzelski que le sacara un ojo, mandó cortar la lengua a quien tanto la había ofendido. Mas esto último lo creerá el que quisiere.

Sí está documentado y se sabe por la parte relatora, que soy yo, que la misma tarde del día en que apareció el náufrago, se reunieron en la Sala de Riñas y Tumultos doña Aguas Santas Rivero, el geógrafo don Sebastián y el santero Sanaperros.

Incómoda por los trajines del día, cansada, con cerco de ojeras avejentando aún más los carbones diminutos de su mirada, tomó aire doña Aguas Santas Rivero para dirigirse a los convocados.

—Resumiendo y a lo práctico, señores, que llevo sin dormir dos días y medio. Aunque las personas de mi edad cerramos poco la pestaña, estoy deseando retirarme y echar un sueñecito. O sea que lo dicho, al meollo.

El geógrafo y el santero asintieron con unción, probablemente con devoción.

—Usted dirá, señora —dijo uno.

—La escuchamos con toda nuestra atención —abundó el otro.

—El náufrago. Esa es mi congoja.

Volvieron a aseverar gravemente el geógrafo y el santero, sin interrumpir a la señora.

—Sabéis bien, igual que yo, que cuando el altanero La Párouse, su barco y tripulantes fueron expulsados de Isla de Lobos por mi esposo, juró venganza y nos maldijo con muy malas palabras. Las recuerdo perfectamente, pues bien esforzaba la pronunciación en nuestro idioma, para que lo entendiésemos sin erratas. Dijo: «Día llegará, desagradecidos, en que volveré a Isla de Lobos y recuperaré todo lo que es mío. Y si no regreso yo, lo hará mi fantasma, o los espectros de mi leal marinería, a quienes hoy condenáis, igual que a mí, al exilio en los mares».

—Sí que lo dijo... Con esas mismas palabras —confirmaba Sanaperros el discurso de doña Aguas Santas Rivero.

—Eso es justamente lo que temo, que hayan empezado a regresar los franceses de La Párouse y en poco tiempo vuelva la isla a estar invadida por esos mamarrachos, reclamen el dominio otra vez para su país y... En fin... Disputas, controversias y, tal vez, la guerra.

—¿Habla francés el náufrago? —preguntó don Sebastián el geógrafo.

—Según informó Ramiro, creo que no —respondió la señora.

—Entonces... —encogió los hombros don Sebastián, como quitando drama al argumento.

—No olvide su merced —intervino Sanaperros—, que con la tripulación de La Párouse embarcaron cuatro marinos de la recluta de don Augusto, llegados a Isla de Lobos el Año del Rescate, en la misma fragata que mandaba nuestro Primer Magistrado, la Santa Ignacia. Los cuales navieros, con permiso de don Augusto, regresaron junto con los franceses por ser reconocidos melancólicos y haber dejado esposas, hijos y otras añoranzas en la patria española. El náufrago podría ser uno de aquellos.

—En tal caso, tampoco sería preocupante —adujo el geógrafo—. Si vuelven los nuestros, de uno en uno o los cuatro a la vez, bienvenidos sean. ¿No les parece?

—No es tan sencillo —dijo doña Aguas Santas Rivero.

—No… No lo es —añadió Sanaperros, meditabundo.

El santero era un hombre más afilado que corpulento, alto y de fibra enérgica, de orejas pequeñas como ratón de bodega, ojos muy grandes que ardían en una especie de fiebre florida, y mentón equilátero, el cual lucía casi siempre erizado de barbilla a la viruta, pues solo se afeitaba los primeros viernes de cada mes, a imitación de la costumbre que observaban los primitivos padres del cristianismo.

El geógrafo era envés de distinta moneda. No muy alto, de aspecto rechoncho por la grasura de sus carnes, pies muy pequeños, calvo lirondo y de frente casi siempre sudorosa, usaba leontinas manchurradas por los vahos de su transpiración, anteojos que limpiaba con un pañuelo de guata que muchos años antes había empezado a amarillear por el uso. De él se decía en Isla de Lobos que se volvió bulgarón a consecuencia de una caída al mar, desde el acantilado de Punta Moros, el Año del Relámpago. Al parecer, el geógrafo emergió de las aguas tan femenil como Venus y más maricón que Secundino el librero; aunque de todo ello no se tenía cabal constancia y nadie se atrevía a interrogarlo severamente, ni siquiera doña Aguas Santas Rivero, la cual, en razón de sus potestades y por fuerza de la ley que prohibía el sodomismo en Isla de Lobos, podría haberlo hecho con toda legitimidad. «Mientras su esposa y señora, la recatada doña Ida, no se queje ni presente alegación ante la Sala de Riñas y Tumultos, no hay nada que hacer», se recusaba a sí misma la magistrada. «Estos asuntos no son perseguibles de oficio a menos que haya escándalo o forzamiento, lo que de momento no ha sucedido ni creo que suceda».

—Deberíamos conducir al náufrago ante la señora —se

inclinó levemente el geógrafo ante doña Aguas Santas Rivero—. Que ella lo interrogue y, tras oírlo y examinar su deposición, que la señora, en su superior criterio, dictamine.

—Sí, hombre simple… Sí. Ya están previstas esas diligencias —reprochó doña Aguas Santas Rivero la obviedad de la propuesta—. Pero antes quiero tener discernidas y bien a las claras algunas cuestiones. Por ejemplo, a ver, Sanaperros: tú mismo auguraste la llegada del náufrago, ¿no es así?

—Tal cual, señora —asintió el santero.

—¿Y por qué hiciste tal?

—Porque las señas del cielo estrellado y el gruñido nocturno de los perros sin dueño no dejaban lugar a dudas.

—No entiendo de esas cosas —se quejó el geógrafo—. Y me resulta muy difícil creer en ellas. Soy un hombre de ciencia.

«Y marica seguro», pensó el santero. Tal como lo pensó, lo calló.

—Hiciste la confidencia al ama doña Esmeralda, pero no a mí —lo recriminaba doña Aguas Santas Rivero.

—No lo niego, señora.

—¿Y por qué?

No tardó en responder Sanaperros, quien a lo largo de muchas y tantísimas épocas de ejercer su oficio en la isla, había aprendido una cautela que procuraba nunca olvidar, de tan práctica como era: a quien mandase en Isla de Lobos, nunca se le debía mentir. La razón de este proceder era diáfana como la luna llena: en la isla, pequeña, multitudinaria de población, con más bocas que piedras dándole a la lengua de día y de noche, al final todo se sabía. Era mejor ir de frente con la verdad, aunque la verdad no fuese del agrado de los poderosos.

—No mencioné a la señora mis visiones porque hablar con la señora sin que la señora me haya pedido antes opinión, me causa tanto respeto que en vez de respeto yo le diría temor. De cualquier forma, era una revelación más entre las muchas que tengo al cabo del año. ¿Me habría hecho caso la señora? ¿No me habría mandado a ordeñar cabras por importunarla con mis desasosiegos de vidente?

—No lo sé. Y si lo supiera, nada contestaría porque a ti no te debo explicaciones —respondió muy altiva doña Aguas Santas Rivero, un tanto molesta con el santero, por haberse atrevido a interrogarla.

—Disculpe la señora.

—Y tú, geógrafo de poca previsión —dirigió su malestar doña Aguas Santas Rivero hacia el sudoroso don Sebastián—. ¿No distinguiste señas en los horizontes isleños sobre un cercano naufragio?

—No, señora.

—¿No te llamó la atención el brío de las corrientes, lo encabritado de las olas, el mal correr de los vientos?

—Todo parecía normal, señora.

—¡Pues no lo era, demonios! —clamó doña Aguas Santas Rivero.

«Ya tardaba en enfadarse la marimacho esta», se dijo el geógrafo. Al igual que el santero, no dejó que la última luz de aquellos pensamientos llevara lo mínimo fugaz de un brillo a su mirada.

—Pero está bien —continuó doña Aguas Santas Rivero después de respirar hondo dos veces, intentando aplacarse—. Ya que uno sabía y nada me confió, y otro nada supo y menos todavía dijo, a ver si es posible que entre los dos me deis ahora buen consejo, o al menos escuche yo alguna palabra sensata que me ayude en este trance. Empiece don Sebastián, pues una curiosidad, que en el fondo es asunto importante, he de exponerle. Dígame, ¿desde dónde puede haber llegado el náufrago y, por tanto, en qué lugar de la mar océana se produjo el hundimiento de su nave?

—Pues verá usted, señora... —tosió un par de veces el geógrafo para aclarar el timbre de su voz—. He estudiado el asunto con todo esmero y, a falta de los datos que ese infeliz nos pueda proporcionar, los cuales, no hace falta que lo diga, son importantísimos en esta averiguación, yo creo... No es que esté seguro al cien por cien, la geografía no es una ciencia exacta...

Interrumpió Sanaperros a don Sebastián con una carcajada a medias, la cual, por respeto a doña Aguas Santas Rivero y al protocolo que debía observarse en la Sala de Riñas y Tumultos, acalló nada más brotarle del alma.

—¡Já! ¿Y qué ciencia lo es, tanto exacta como ciencia propiamente? Yo se lo diré a vuestra merced: ninguna.

—Calla ahora, Sanaperros —ordenó la magistrada—. Tiempo tendrás de darme tu opinión y denostar lo que quieras al geógrafo. Pero ahora, calla.

—Como mande la señora.

—Continúe, don Sebastián.

El geógrafo lanzó dos miradas homicidas a Sanaperros, las dos como de veneno, ninguna de hierro y cuchillo; ninguna de sangre sobre herida abierta en duelo, sino de dolor de tripas y vómitos fatales por tóxico de sierpenegra.

«Maricón es, sin duda, fijo como que la Tierra es redonda», volvió a convencerse Sanaperros.

—Decía a la señora, antes de que el santero me interrumpiera, que aun sin ser la geografía una ciencia exacta por completo, puedo aventurar con fundada precisión el lugar donde se produjo la ruina de la nave donde viajaba el náufrago y, por tanto, cayó a las aguas, se agarró al mástil partido del buque y viajó sobre las olas hasta Isla de Lobos.

—Pues diga entonces —lo apresuraba doña Aguas Santas Rivero.

—Las corrientes lo llevaron a Playa Grande, donde sabemos que zumban vientos menores, subsidiarios del alisio cuando este converge en la zona intertropical. Esto quiere decir, señora, que si entre vientos y corrientes no pudo llegar el náufrago a lugar distinto, y considerando la época del año en que nos encontramos, tres cuartas de primavera y cara al medio verano, la nave descuadernada tenía que proceder, sin duda, de las costas de Espargos o Boa Vista.

Alzó el semblante y engoló la voz el geógrafo. Miró fijo a doña Aguas Santas Rivero.

—Lo que sin duda refuta la tesis de que el náufrago viajase en la flota del francés, ni en la corbeta guerrera ni en la carraca que transportaba especias.

—Entonces, según tu criterio, el barco ido a pique venía de las Caboverdianas.

—Así es, señora.

—¿Y qué sabemos de esas islas?

—Que se encuentran a unas doscientas cincuenta millas marinas al sureste de Isla de Lobos —respondió el geógrafo.

Intervino enseguida Sanaperros:

—Y que allí hay muchos negros. Y además de negros, aventureros de todas las naciones rapiñeras del mundo, un tropel de mercenarios, exploradores, buscadores de fortuna, tratantes de flora y fauna que se aprovisionan antes de dirigirse al continente del África, o echar la vuelta hacia oriente por la Buena Esperanza, o incursionar como moscas en la Isla Malgache, que es grande como Zululandia y rica como la Argentina.

—¿Y tú cómo sabes esas cosas?

Dubitó unos momentos el santero, pues temía que la respuesta incomodase a la señora.

—Vamos, habla. Dímelo. ¿Cómo lo sabes?

—Señora… Todo eso me lo ha contado… Ya sabe.

—No sé. ¿Qué voy a saber? ¿Vas a responder o llamo a Jaruzelski para que te arrime dos guantazos?

—Me lo contó Albabella —proclamó al fin el santero.

—Acabásemos. ¡Vaya misterio!

Estuvo a punto de reír doña Aguas Santas Rivero, mas no llegó su aliento para tanto exceso.

—Albabella… Sí, desde luego. ¿Quién si no?

Brillaban los ojillos de doña Aguas Santas Rivero, entre el desdén y la nostalgia.

—Albabella … —repetía.

El geógrafo don Sebastián se atrevió a intervenir y, de paso, reivindicar un poco sus conocimientos y la firmeza científica de los mismos.

—Quisiera llamar la atención de la señora, si me lo permite…

—Permitido queda —dijo doña Aguas Santas Rivero—. Albabella… —insistió.

—Pues ya que da anuencia, reclamo su recta sanción sobre algo elemental y diáfano en esta controversia.

Señaló a Sanaperros.

—Mientras que este pelafustán, y dicho sea lo de pelafustán sin ánimo de ofender, pues es público dominio que sana perros y gatos al igual que cuida de los hijos de Dios con artes de santería… Digo, decía, que mientras este pelafustán alega en favor de sus opiniones y vaticinios las señas habidas en noche de estrellas, la mensajería en los ladridos de los perros y el testimonio de un alma inocente aunque sin luces ningunas como es Albabella, yo, geógrafo de Isla de Lobos, fundamento mis dictámenes en el conocimiento empírico del mundo y cuantos fenómenos en el mismo se producen, todo ello valorado a la luz de la razón, la matemática, la gramática y la lógica del buen don Aristóteles, que en gloria esté, cuyas obras incompletas tuve el honor de rescatar del moho y leer en mi humilde morada, tras el fallecimiento del librero Secundino.

—Eso es verdad —admitió la magistrada, Ministra Única

de Isla de Lobos—. Pero si tú sabes por ciencia, Sanaperros discierne por conciencia.

Hizo un mohín de disgusto el geógrafo tras el juego de palabras.

—¿Y a qué viene ahora recordar al infeliz Secundino? —preguntó Sanaperros.

—Era un hombre culto —respondió el geógrafo.

«Bujarrón igual que tú, como todos los que pasan la vida entre libros y leyendas», se dijo el santero. Si hubiera podido susurrar sus pensamientos a oídos de la señora, sin duda lo habría hecho.

—Pobre Secundino —dijo doña Aguas Santas Rivero—. Siempre tuve lástima de aquel hombre. No digamos tras su miserable óbito.

Ambos, geógrafo y santero, conjeturaron en lo íntimo que la viuda de don Augusto Rivero debía de seguir sintiéndose un tanto culpable por la muerte del librero. La tragedia había sucedido mucho tiempo atrás, en el Año que Nevó en Mataflores. Doña Aguas Santas Rivero, de paseo vespertino, cruzó ante las puertas del tienducho donde Secundino ejercía de librero, archivero y ocasional poeta odiseico, esmerándose en rimar sobre las épicas locales. A inventario de las mismas tenía redactados dos extensos poemas: *La Francesíada*, sobre la guerra de La Párouse contra los ingleses, y *Augustea Carmine*, acerca de la llegada de don Augusto Rivero a Isla de Lobos, la expulsión de los franceses y los hechos más notables en los primeros años de gobernanza bajo amparo del Ministro Único. Y fue el caso que, aquella tarde, tuvo doña Aguas Santas Rivero curiosidad por la vida ínfima, tan irrelevante para ella, del titular del negocio de librería. Entró en aquella breve dependencia, mandó a Secundino que le preparase una infusión de rizos de uva caleta y conversó con él un buen rato.

—¿Desde cuándo estás aquí instalado, en Isla de Lobos?

—No recuerdo, señora. Desde siempre.

—¿Y cuántos libros hay en tu librería?

—Ochenta y tres. Los mismos que traje.

—Entonces, en todo este tiempo, has vendido…

—Ni uno, señora. Ni uno.

—¿Y qué dice tu esposa de semejante ruina en el negocio?

—Señora, no tengo mujer. Yo no… Las mujeres y yo, no…

—Déjalo, no abundes en explicaciones. Dime entonces, ¿cómo te ganas la vida?

—Dos vecinas me traen la cena, parca pero agradecida por mi estómago. Las otras comidas las ayuno, ofrezco el sacrificio por la redención de las almas en todo lugar pagano y, si me viene demasiada hambre, rezo seis veces seguidas el Señor Mío Jesucristo.

—Eso está bien. El fervor en los rezos hace buena compañía con la frugalidad.

—Y en cierta ocasión, recuerdo, su señor esposo, don Augusto, me hizo un donativo de dos cobres.

—Te vendría de perlas ese caudal.

—Aún lo guardo, señora. ¿Cómo iba a gastar, en qué, un tesoro tan importante, recibido de manos de su difunto esposo, nada menos?

Se echó el librero las manos al bolsillo e hizo tintinear las dos monedas.

A doña Aguas Santas Rivero le emocionó aquel detalle. Tanto, que entregó al menesteroso otra moneda. No iba a ser menos en el gesto que su esposo difunto, ni pretendería igualarle en generosidad, limosneando la misma abundancia. Con una moneda quedó como Dios, al menos eso pensaba.

Con aquella moneda dejó cavilando al librero Secundino, decían todos. Tres monedas, ningún libro vendido en un lugar del mundo donde nadie leía más que sobre el rizado del mar; dos poemas épicos que habían agotado para siempre sus reservas de papel y tinta. Ese era su patrimonio y su legado después de toda la vida, de un «siempre» largo y muy largo dedicado al oficio de juntar letras inútiles en pliegos más inútiles todavía. Y aquellas cavilaciones debieron de ser muchas y muy funestas, y de conclusión inapelable: al día siguiente amaneció el cadáver del librero colgando del techo de su garito.

Volvió a su presente la Primera Magistrada, en la Sala de Riñas y Tumultos. Lanzó un suspiro de nostalgia muy hondo, como de cripta, donde se oía el rumor aletargado de siglos tristes y antiguos como el mundo.

—Recuerdo aquellos tiempos… —dijo, la mirada apagándose en el limbo de la evocación—. Tú también te acuerdas, ¿verdad, Sanaperros?

—Claro que sí, señora. ¿Cómo no iba a acordarme?

***

Al Año del Rescate le puso título el mismo don Augusto Rivero, quien instituyó la fecha para conmemorar su victoria sobre los franceses, ocurrida y proclamada a los tres días justos de arribar con su fragata Santa Ignacia a Isla de Lobos.

Nada más llegar a puerto, anclada la nave a distancia de respeto, dispuso don Augusto botar la chalupa de desembarcos. Erguido en la barquichuela con sus galas de capitán, en compañía de dos oficiales y seis remeros, con un portafolios de cuero bajo el brazo y la bandera española flameando a proa, se dirigió al amarradero. Allí mismo le dio alto la guardia portuaria francesa.

—Llevadme a parlamentar con el gobernador de la isla.

—Esperamos instrucciones, *monsieur* —opuso un guardiamarina francés que chapurreaba español con acento levantino—. Mientras llegan esas órdenes, ustedes de aquí no pasan.

Don Augusto Rivero compuso un esmerado ademán de paciencia, como si esperase la respuesta, absolviera al insensato que le cerraba el paso y tuviese aprendida como el catecismo la respuesta que convenía al momento.

—Mira, hijo… —expuso con genuina templanza, sin alterarse lo más mínimo, sin alzar la voz ni gesticular, como si hablara sobre el estado de la mar o se interesase por los precios del pan y la ginebra en aquella isla donde acababa de hacer presencia—. El caso es que he ordenado a mis oficiales artilleros, muy duchos en su oficio, que si la tripulación de la chalupa no da señal convenida en término de una hora, abran fuego contra todo lo que se tiene en pie en esta isla y todo lo que flota en el puerto y no lleve redes de pesca, lo que quiere decir: vuestros dos barcos, la corbeta y la carraca. ¿Has visto la fragata que gobierno? Ahí la tienes, tan quieta y tranquila sobre las aguas mansas del ancladero. Carga doce cañones de dieciocho libras a estribor y otros tantos a babor, dos lombardinas de a ocho en el alcázar y otra idéntica en la proa. Y también es el caso que no pienso dar aviso de paz y cuartel a los míos hasta que me haya entrevistado con el gobernador. ¿Lo comprendes, buen paisano? Cuanto más tarde en producirse el encuentro, más posibilidades hay de que empiece una guerra en la que vuestras naves saldrían desarboladas y, más después, asaltarían este dominio cincuenta y nueve infantes de marina y cuarenta y cuatro navieros de todo faenar y mucho apuñalar, los cuales llevan dos meses embarcados, sin pisar tierra ni catar vino y mujeres. No sé si has entendido todo lo que hay que entender.

El guardiamarina francés miró fijo, no asustado pero sí impresionado, a don Augusto Rivero. Pensó y repensó unos momentos. Al fin dijo:

—Sígame. Usted solo.

Escoltado por cuatro soldados con la flor de lis en la charretera, atravesó don Augusto Rivero las instalaciones portuarias, el mercado y las cuatro callejas de Isla de Lobos, ninguna de las cuales era principal, camino de la residencia de La Párouse. Durante el trayecto le seguía la mirada acuciosa, llena de ansiedad, de la caterva de holandeses, mauritanos, hesianos y otros pueblos dados al nomadeo que vivían en el habitado del puerto, hasta ese día tranquilamente dedicados a sus comercios, partidas de naipes y otros chanchullos, bajo protección de la escuadra de La Párouse. Todas aquellas miradas estaban fijas en el capitán de la Santa Ignacia mientras que él, don Augusto Rivero, mantenía la vista al frente y caminaba derecho como un sable.

Llegó la comitiva a una mansión de las más grandes, aunque no de las más lujosas porque en aquellos tiempos, en Isla de Lobos, no había lujos de ninguna clase.

—Aguarde aquí —indicó el guardiamarina a don Augusto Rivero.

Entró en el edificio. Al poco rato, por el mismo lugar que había traspasado, apareció en compañía del teniente La Párouse.

—Capitán Rivero... —saludó el francés.

—Señor mío... —respondió el español.

—Me han informado de sus planes de bombardear y arrasar la isla —alegó de inmediato La Párouse—. Debo decirle, capitán, que no estoy dispuesto a parlamentar bajo el destemple de esa amenaza.

—Se equivoca usted, señor —lo contradijo don Augusto Rivero en el mismo tono plácido, benevolente, con que un rato antes se había dirigido al guardiamarina en el puerto—. Mis planes no son cañonear y montar la de Troya en este enclave tan pequeño y tan apartado del mundo. Por el contrario, mi visita es amistosa.

Torció el labio La Párouse, incrédulo.

—He advertido a sus hombres en el puerto que si usted no me recibía de inmediato, la Santa Ignacia empezaría el bombardeo... No voy a negarlo. Pero, felizmente, todo discurre por cauces de concordia. Prueba de ello es que nos encontramos aquí, debatiendo como personas civilizadas, dos marinos con sentido del honor y de la responsabilidad. Y todo sea dicho: en mitad de la calle, con el sol de mediodía sobre nuestras cabezas. Podía haber tenido usted el detalle, teniente La Párouse, de recibirme en sus aposentos.

—No puedo satisfacerle en eso —se excusó el francés—. Mis habitaciones son muy humildes y bastante incómodas. Por demás, se hallan en extremo desordenadas.

—Vaya por Dios... —lamentó don Augusto Rivero—. En fin, qué se le va a hacer. Todo sea por el buen entendimiento entre nosotros y las naciones que representamos. Hablemos aquí entonces, al aire libre, que es muy sano.

Abrió el capitán de la Santa Ignacia el portafolios que hasta ese momento mantuviese bajo el brazo. Extendió documentos a la vista del teniente La Párouse.

—Como puede comprobar y estos despachos acreditan, las coronas portuguesa y española han acordado transferir, la primera, para siempre y mientras el mundo no se detenga y Dios nos llame al Juicio Final, la titularidad y soberanía de Isla de Lobos a la segunda. De tal forma, teniente, este enclave se halla, desde la fecha del solemne contrato, bajo autoridad del rey de España, a quien me honra representar.

Ojeaba La Párouse los pliegos con más curiosidad que preocupación.

—Observe lo legítimo de los sellos y rúbricas reales, así como la firma de nuestro Gobernador General de Ultramar en la orden que le conmina a entregarme posesión plena de Isla de Lobos y abandonar su ancladero en cuanto sea posible.

—Entonces, ¿Isla de Lobos era verdaderamente posesión portuguesa? —preguntó La Párouse, asombrado.

—En efecto, lo era. Pero ya no lo es. Ahora, aquí mando yo.

—¿Y por qué los portugueses abandonan la plaza? A medio camino entre las Canarias y las de Cabo Verde, tiene una importancia estratégica, digamos, estimable. No importante... Aquí no hay importante más que la grasa de las focas, esos bichos a los que llaman lobos de mar. Pero estimable, sí.

—Los motivos del portugués no son de mi incumbencia, teniente. Y tampoco de la suya. Soy un militar que cumple con su deber y acata órdenes sin rechistarlas. Espero que proceda usted de la misma manera y no ponga obstáculos a mi reclamación.

Decía la verdad solo a medias don Augusto Rivero, pues no eran asunto suyo las razones de Portugal para ceder Isla de Lobos a España, ciertamente; pero sí conocía la causa. Omitió aquel detalle por un elemental sentido de la prudencia, como se irá demostrando a lo largo de estas relaciones sobre Isla de Lobos, su historia y las gentes que la habitaron.

—Bien, comprendo la situación —admitió La Párouse—. También soy consciente de que usted, capitán Rivero, ha llegado dispuesto a hacer cumplir el concordato entre Portugal y España, por medios pacíficos o haciéndome la guerra.

—Así es —confirmó don Augusto Rivero estas palabras con absoluta naturalidad, sin dar mayor importancia al dilema, como si cediera a La Párouse la elección entre pasar la tarde jugando a naipes o paseando a caballo—. Tal como consta en la documentación que acabo de presentarle, se hará. No hay otro remedio que cumplir lo que se nos manda, querido amigo. De modo que decida usted qué va a hacer, me lo comunica, y obraré en consecuencia.

—Yo... Nosotros, el destacamento bajo mi mando... No tenemos medios para hacerle frente, ni oponernos... —titubeaba La Párouse.

—Eso lo saben hasta las piedras de la isla.

—Sin embargo, capitán Rivero, comprenda que las faenas de aparejar mis dos embarcaciones, nutrirlas de pertrechos y partir rumbo a Francia... Todo eso lleva su tiempo.

—Un consejo le doy, estimado señor: a Francia ni se le ocurra regresar. Allí mandan ahora unas turbas populescas con mucha sed de venganza y sangre. En cuanto vean uniformes ornados con la flor de lis se les echarán encima, los apalearán, los conducirán a presidio y en pocos días les harán justicia de muerte. Y lo peor de todo: robarán su valioso cargamento de especias.

—Alguna noticia me había llegado al respecto —dijo La Párouse, todo contristado—. La situación ya era ardua, muy difícil, cuando partimos del puerto de La Rochelle, hace de eso no sé cuánto tiempo. Mucho.

—Pues más afiladas aún se volvieron las lanzas, señor mío. No crea que me place ser malagüero, pero una noticia funesta tengo que darle: a su rey soberanísimo, le cortaron la cabeza. Y también a la reina. De ellos para abajo, todo el que figurase con más de dos apellidos en el acta de bautismo ha padecido el mismo final.

Cerró los ojos La Párouse, como si la noticia confirmase el peor de sus temores, el despertar de un mal sueño para caer en la pesadilla de la realidad.

—Dios mío. ¿Qué va a ser de nosotros?

—Ánimo, buen amigo. Usted es un militar, un marino. Un valiente.

—De poco han de servirme el valor y el honor si no tengo puerto en el que echar anclas ni patria a la que regresar.

—Por eso no se apure, teniente —proclamó muy ufano,

generoso y un tanto paternal don Augusto Rivero—. Yo le proveeré de salvoconductos para que pueda llevar su corbeta y su carraca cargada de especias al puerto de Cádiz, donde podrá intercambiarlas, sacar buen dinero, licenciar a la marinería y emprender nueva vida. Si le urge regresar a la Francia de su niñez, sepa que en cualquier monipodio de Sevilla o Madrid encontrará fulleros de muy buen oficio, quienes por cuatro cuartos le pueden burilar documentos falsos, tan parecidos a los que ahora son obligatorios en aquella república como el as de oros a la otra carta que llaman huevo frito en la baraja española. Y por descontado, no se apure por la fecha de su partida. Tanto me da si tarda tres meses como cien días. Cumplir el deber es mi enseña y norte en la vida, pero la caballerosidad es mi estilo.

—Se lo agradezco, capitán Rivero —respondió La Párouse, todo emocionado.

—Otro favor quiero solicitarle —continuó enseguida don Augusto Rivero.

—Diga usted, que si en mi mano está...

—Lo estará. Entre mis hombres hay algunos, cuatro o cinco de ellos, que añoran en extremo la patria y sufren el morbo melancólico. No es que yo apruebe estas debilidades, pues cuando un marino se enrola en una embarcación de guerra o de comercio ya sabe lo que le espera: meses y años de travesía y mucha incertidumbre y no saber nunca cuándo volverá al hogar, si es que se regresa. Mas, ea, también comprendo a esos infelices que penan y quejumbran y bobean de acá para allá en la fragata, sin hacer nada de provecho, inhábiles para cualquier esfuerzo, ardiendo en su mirada la tentación de arrojarse a las aguas y terminar de sufrir. Hace ya mucho, muchísimo tiempo que salimos del puerto de Cádiz, y si la divina providencia no dispone otra cosa, tardaremos otro muchísimo en largar velas hacia aquella dirección. Por todo lo cual, me sería de gran utilidad, amigo La Párouse, que admitiera a esos hombres como pasaje en su corbeta, o en la carraca de las especias. Yo me libro de unos cuantos inútiles que desmoralizan al resto de la tropa, ellos se dan la alegría de volver a sus ítacas, y a usted, a fin de cuentas, no le cuesta nada embarcarlos y transportarlos como quien lleva media docena de bultos más.

Sonrió halagador, condescendiente, don Augusto Rivero.

—¿Qué me dice?

No tardó en responder el teniente francés.

—Cuente con ello.

En ese punto o parecido acabaron las primeras negociaciones para la entrega de Isla de Lobos a España y, más en concreto, a la autoridad inmediata de don Augusto Rivero. Volvió el capitán a la Santa Ignacia de buen humor, casi eufórico, por la facilidad con que había resuelto todos sus afanes: recuperar el enclave para la corona española, librarse de los franceses y mandar con ellos, de vuelta, al grupito de pusilánimes que sufrían lobreguez de espíritu y tan mal ejemplo daban a la marinería. Isla de Lobos era suya. Respecto a lo demás, sabía muy bien que enviaba a La Párouse y sus hombres y barcos, y a los afectados de añoranza y debilidad de ánimos, a ninguna parte y para siempre. Aunque esto último le importaba muy poco.

Isla de Lobos era suya. Eso sí importaba.

***

En la Sala de Riñas y Tumultos, doña Aguas Santas Rivero puso fin al cónclave entre su persona, el geógrafo don Sebastián y el santero Sanaperros.

—Entonces, estamos de acuerdo —recordó lo convenido—. En cuanto el náufrago se haya recuperado, comparecerá ante mí. Jaruzelski me asistirá en la entrevista, por si fuera preciso meter en cintura al recién llegado, o hacer uso de la fuerza para cualquier otro fin. Si habla francés, lo echaremos de nuevo al mar. Si se expresa correctamente en nuestro idioma, le conminaremos a que se explique. Conforme sea su relato y la exposición que haga del mismo, decidiré lo que mejor convenga. ¿Oído?

Asintieron con presteza don Sebastián y Sanaperros.

—Un detalle se me escapa. Es imprescindible que, antes de presentarlo en mis estancias, sea cual sea la índole aparente del náufrago, se le conduzca a la iglesia de san Atila y allí mismo, sin dilación, el presbítero don Manuel de Garceses lo bautice. Pues no vaya a resultar que el rescatado de las aguas naciese pagano, o en el seno de a saber qué creencia de herejes. Jamás he permitido que bajo los techos de esta casa entren almas sin acristianar. ¡Solo faltaría!

—¿Y si dice ser católico y bautizado como Dios manda? —preguntó don Sebastián.

—Se le bautiza otra vez, qué puñetas. En asuntos de náufragos no me fío ni de mi sombra, y en materia sacramental, lo que abunda no estorba.

Miró a Sanaperros, dominadora. Le dijo:

—Tú te encargas de advertir al presbítero sobre estos protocolos.

—Pero señora —objetó el sanador —, mis relaciones con don Manuel no son óptimas, ni siquiera regulares. Todo el mundo en Isla de Lobos conoce nuestra desapacible controversia sobre el origen pagano, seguramente herético, del culto a María Magdalena, santa a la que guarda devoción, el muy necio.

—Pues haz las paces con él —ordenó doña Aguas Santas Rivero—. O no las hagas. Vuestros debates teológicos me resultan fastidiosos. Procede como te venga en gana. Eso sí: el náufrago debe quedar totalmente limpio del pecado original y asentado como es debido en el censo de los verdaderos creyentes. ¿Queda clara la obligación que te impongo?

—Sí, señora.

—¿Algún asunto más que debatir?

Ni el geógrafo don Sebastián ni el santero Sanaperros respondieron.

—Pues andando, cada gato a su gatera, que son las nueve y estoy molida de la espalda, con ganas de meterme en la cama y dormir unas cuantas horas.

Amagaron discreta reverencia, por última vez aquella tarde, el geógrafo y el santero.

—Venga, venga... Menos miriñaques y más ligeros esos pies. Largo de una vez, pelmazos.

Y así acabó la reunión.

— V —
ALBABELLA

—La isla, por su verdadera naturaleza y por llamarla cabalmente como debería ser llamada, es un volcán —explicaba Ramiro al náufrago, durante el primer y breve paseo que dieron por los entornos del faro que nunca alumbraba la costa ni parte alguna de mar o tierra—. No es un volcán grande, poderoso, alto como la barriga de los cielos, tal cual algunos que he oído mencionar y que ascienden dispersos en islas más dispersas todavía, en todos los océanos conocidos. Querido amigo náufrago, el nuestro no es un volcán importante, de rango, como el Pico do Fogo y el Teide, por ejemplo, los cuales dos titanes desperezan de vez en cuando y empiezan a escupir piedras, fuegos y cenizas, y destrozan en un suspiro lo que muchas generaciones de los hombres se afanaron en construir. El nuestro no es de esos.

—Menos mal —dijo el náufrago, bastante cansado, muy poco interesado en la lección de Ramiro.

—Aunque, no creas. Se dice de él que es cabrón por lo callado, avieso de intenciones, y que cualquier día nos da un disgusto.

—¿Quién lo dice?

—Gente que sabe.

—¿Y dónde se encuentra ese volcán del que poco puede uno fiarse?

—Como todos los de su clase, señoritos con vara de mandar aupados en medio de las aguas, halláralo su merced sobre en medio de la isla. Naturalmente, es la montaña más elevada del paisaje, de unas mil varas de altura.

—Interesante.

Empezaba a fatigarse el náufrago. Aunque durante dos días, en el cuchitril del farero, durmió a demanda y descansó cuchicheado por el arrullo de las olas, y comió fruta fresca y bebió agua limpia y abundante, aún sentía recorriendo sus ánimos y cada parte del cuerpo como un espíritu de vaga quejumbre, no otra cosa que la debilidad.

—Apenas hay otra elevación que merezca decirse, alguna colina próxima al habitado del puerto, desde cuyo cabezo otean el horizonte guardacostas como yo, por evitarnos visitas de sorpresa, ya me entiendes; y algunas colinas de piedra negra, salidas del mismo magma, en algún bramido furioso del Volcán que nadie recuerda, de tan antiquísimo como fue. Lo demás, ya ves…

Ramiro extendía el brazo, algo ampuloso, mostrando el breve trecho hasta el acantilado, y el más allá del horizonte hasta el secreto de las nubes, como si prometiese al náufrago un paraíso de vacío: «Todo esto te daré si, humilde ante mí, prometes quedar para siempre en Isla de Lobos».

—¿Cómo le llamáis?

—¿A quién?

—¿Al volcán?

—Ah… Muy sencillo: Volcán de Isla de Lobos.

—Entonces, nunca oí hablar de él. Ese nombre no está anotado en mis recuerdos. Los que antes mencionabas, el Teide, Pico do Fogo, sí los traía en el santiscario, como si de la familia fuesen. No así el volcán denominado Volcán de Isla de Lobos.

Sonrió un poco altivo, tenaz en sus presunciones, el farero Ramiro.

—¿Lo ves? Tú eres geógrafo, seguro. Por más que quieras negarlo.

—Lo niego. Te digo que es un absurdo.

—Pero sabes de volcanes.

—Menos que tú, salvador de mi vida. Vaya geógrafo sería, con conocimientos menos nutridos que un vigilante de olas en una isla perdida.

—Bueno, bueno… No tan perdida.

A súplica del náufrago, que ya se sentía desfallecido, iniciaron el camino de regreso.

—Esta tarde, cuando estés durmiendo, iré a dar un repaso al mástil que te mantuvo a flote. Lo tengo bien asegurado entre algas trenzadas y rocas en dique, para que no se lo lleven las olas, pero aun así es conveniente examinarlo sin más tardar.

—¿Crees que ese palo va a decirte algo sobre mí?

—¿Quién sabe? —respondió Ramiro, dándoselas de ducho en la materia—. Los restos de un naufragio siempre cuentan más de lo que creemos.

—Ojalá así sea.

Ya en el hogar del farero, mientras el náufrago se acomodaba entre las mantas y Ramiro volvía a remover la pequeña fogata y aprestaba el puchero, preguntó aquel:

—¿Cuándo iremos a conocer los lobos, y a Albabella?

—Tómalo con calma, muchacho —le aconsejó Ramiro—. Antes de hacer vida social hay que legalizarte en la isla. Tienes que pasar por la iglesia de san Atila, para que don Manuel de Garceses te bautice.

—Qué bobada.

—Y después, ya sabes: comparecencia ante la Ministra Única y Primera Magistrada de Isla de Lobos, doña Aguas Santas Rivero. Cuando otorgue todos sus síes y te provea de cédulas, podrás ir donde quieras y te apetezca.

—Demasiado trajín. Demasiada formalidad para un asunto tan pequeño como soy yo —bostezó el náufrago.

—¿No vas a comer antes de dormir?

—Cuando despierte, si no te importa.

—¿Cómo iba a importarme? Eres tú quien tiene que reponerse, yo estoy sano gracias a Dios. Muy viejo, no lo niego, porque negarlo sería de berzotas, y de pensar, como rematado berzotas, que los demás no advierten mis canas, mis arrugas, lo ya acorvado de mis pasos... Viejo soy, pero muy sano. Lo que procuro es que puedas decir tú lo mismo dentro de poco, por lo sano, me refiero, no por la edad, que se te ve bien joven y de magnífico estar plantado.

—De momento, poco resisto en pie —se quejó el náufrago.

—Todo llegará. Duerme ahora.

Durmió el rescatado de las olas. Dormir era su remedio para dos cosas importantes: curar la salud maltrecha y librarse del pote de Ramiro. Había aprendido el truco con rapidez, a pesar de que no andaba muy ágil de cabeza: si alegaba que, tras el largo sueño, tenía el estómago en demasiada inocencia como para tragar y digerir sin inmediato retortijón el guiso multiforme del farero, se libraba del pote y conseguía fruta. Eso lo libró del suplicio culinario, aquellos días, en casa de Ramiro.

Ramiro no encontró en el mástil salvador del náufrago ninguna señal, inscripción, rastro de su escuela astillera ni otros vestigios que pudieran indicar, aun de remoto, la factura y procedencia del bajel en que su protegido viajó y sufrió desastre marítimo. Con mucho esfuerzo, mientras el oleaje lo salpicaba y el viento poderoso del medio atardecer zarandeaba de capricho al farero, volteó la mesana partida. Calculaba que quedó rota al menos en cuatro trozos, y esto último le daba que pensar: es norma sabida que, en todos los naufragios, los mástiles se rompen por su mitad, a menos que un proyectil cañoneado en plena batalla naviera los haga astillas; o les parta un rayo en lo riguroso de la galerna. Pero aquel trozo de mesana no presentaba quemaduras ni más deterioro que el natural tras haberse estampado contra el forzudo oleaje.

Quedó el enigma, de momento, por resolver. Se conformó el vigilante de la costa con apartar el mástil lo más lejos del agua que pudo, ayudándose de cuerdas y ganchos, con sacrificio tremendo para un hombre de su edad y de cualquier edad, pues el maldito palo debía de pesar, imaginaba, lo mismo que un carro sin ruedas. De vacío, pero sin ruedas. Al fin dejó los restos de mesana entre rocas y pedriza volcánica, en lugar que parecía seguro, a resguardo de la marea, donde tardaría dos o tres semanas en secarse del todo. Pasado ese tiempo, pensaba vender la madera a los corraleros del interior, gente afanosa que siempre andaba levantando cercas y criando perros de presa para que ningún truhán, de los muchos que zascandileaban por Isla de Lobos, robase en sus cultivos. Por aquel rescate podía sacar, como mínimo, siete cobres, o quizás una moneda de plata de baja ley. Mucho sería aquel poco para quien, como en su caso, nunca llevaba monedas encima, y mucho menos guardaba en oculto posesión en metálico. Ni de ninguna otra clase.

Acabadas estas operaciones, volvió el farero a sus hogares. Encontró al náufrago despierto, comiendo una papaya que había quedado a su alcance. Cerca de las mantas, en el suelo de tierra compactada, emblandecían las pieles de dos bananos.

—Veo que te ha vuelto el apetito —le dijo—. ¿Quieres guiso?

—No. Lo agradezco, pero no. Mi estómago... —volvía a excusarse el náufrago.

—Ese estómago, tienes que cuidarlo. Sin tripa sana no hay hombre sano. ¿Has dado ya de vientre?

—Tampoco.

—Desastre de hombre. Sin comer y sin cagar como Dios manda no puede un cristiano mantenerse vivo. Si te alimentas solo de fruta, al final tomarás el mismo color de la uva caleta, cuando se le caen los ramos y las hojas se le vuelen cobrizas, y enfermarás de verdad.

—Hago lo que puedo.

Quedó un rato pensativo el farero, estimando sus posibilidades de ayudar al náufrago a recuperarse sin pedir ayuda a nadie. Al final resolvió:

—Mañana iré al habitado del puerto, en busca de provisiones y algunos efectos que también me parece que necesitas: algo de ropa usada y despiojada, en buen uso, para que puedas deshacerte de esos harapos que vistes; y aceite para el candil, y un pan grande de maíz, bien tostado, excelente para asentar las tripas y aligerar las deposiciones.

—Agradezco mucho tu desvelo —dijo el náufrago, conmovido por las atenciones de Ramiro.

—Por ti haría bastante, buen amigo. Pero no tantísimo. Quizás estas palabras te decepcionen.

Nada más haber pronunciado la frase, parecía Ramiro avergonzado de ella.

—No, por supuesto que no —lo tranquilizaba el náufrago—. Nada me debes, nada te obliga. Yo, por contra, estoy en deuda perpetua contigo. ¡Me salvaste la vida!

—Bueno, bueno: menos coba, que somos mayorcitos y ninguna falta hace —protestó Ramiro—. Sinceramente: ya te he dicho que, de mi mano, te ayudaría lo que pudiese. Pero no me desvelaría y entregaría en cuerpo y alma a tus cuidos si no fuese porque el ama, doña Aguas Santas Rivero, me tiene ordenado que salgas sano y salvo de mi casa, camino de la suya, la mansión donde habitó con su esposo y que ahora ella ocupa, al igual que ocupa todos los cargos del difunto marido: Ministra Única de la isla y Primera Magistrada.

—Ella hace la ley —sugirió el náufrago.

—Dicta, interpreta, sentencia y condena. Quien ejecuta es el salvaje Jaruzelski, un polaco sin alma que llegó a la isla no se sabe cuándo, ni cómo ni en compañía de quién; sirvió a don Augusto Rivero como un mastín de presa y lo mismo hace con su viuda. Si ella le ordena: «Arréglale las costillas a ese desgraciado», entonces, amigo, date por cadáver.

—¿Ese es todo su ejército?

—El único que necesita. Los demás hombres de Isla de Lobos están demasiado ocupados dejando que pase el tiempo, contemplando el horizonte, pescando cuatro sargos y cuatro lampreas, discutiendo sobre vientos, añorando lluvias, jugando naipes, bebiendo ron de papa y encamándose con las putas del puerto. Además, si algunos intentasen formar tropa, doña Aguas Santas Rivero juntaría enseguida a dos o tres docenas de sus adictos guardiamarinas, todos armados con fusiles, bayonetas, cuchillos y espadines, y acabarían con la rebelión en menos de lo que tarda el presbítero de san Atila en santiguarse a mitad de misa.

—¿Temes que ella te represalie si no recupero pronto la salud?

—Temo al polaco. Temo que Jaruzelski aparezca cualquier tarde, me parta los lomos, te tome bajo el brazo como si fueses un saco de virutas y te conduzca ante la señora para que te interrogue y después, seguramente, ordene que te arrojen de nuevo al océano.

Fue entonces el náufrago quien recapacitó un buen rato. Se rascaba el labio superior, bajo la nariz, como si muchas ideas le hormigueasen en esa parte; se rebullía despacio entre las mantas, con la mirada ausente. Se palpó las costillas. Había enflaquecido demasiado, debió de pensar.

—Haré todos los esfuerzos por recuperar la salud completamente. Trae ese pan de maíz del que has hablado antes, y algún otro alimento, el que prefieras, y más fruta fresca. En unos días, una semana como mucho, prometo haberme recuperado.

—De eso nadie puede dar palabra. ¿Cómo vas a prometer estar sano? Mira que Dios puede castigarte, por presuntuoso, y enviar unas fiebres que te consuman de la noche a la mañana.

—Lo prometo —insistió el náufrago.

—Sea. Allá tú con los asuntos de tu alma. Por mí, con que puedas tenerte en pie y responder a la inquisición del ama, en la Sala de Riñas y Tumultos, donde seguramente te recibirá, estaré cumplido.

Callaba el farero algunas aprensiones, ideas que lo atormentaban. Podía haber ido en busca de Albabella, a los anchos de Playa Grande, contarle lo que sucedía y suplicar ayuda. Pero temía más a aquella mujer que a los fantasmas de los marinos ahogados. También podía solicitar la ayuda de Sanaperros, experto en curar con las manos y el rezo, sabedor de infusiones y decidor de ensalmos reparadores; mas aborrecía la idea de ver en su casa a aquel liante, correveidile de doña Aguas Santas Rivero, engatusador de incautos y procurador de su exclusivo beneficio. Si Sanaperros visitaba al náufrago, al final diría todo ufano ante su ama: «Fui yo quien lo curó de todos sus males»; y quedaría Ramiro como un inútil, incapaz de cumplir su palabra de cuidar del rescatado de las aguas y, encima, cobarde ante su propia limitación. Ni hablar, no estaba dispuesto a pedir ayuda a Sanaperros bajo ninguna circunstancia. Prefería que el bárbaro Jaruzelski le abriera la cabeza de un bastonazo y acabar así, de una vez, sus incertidumbres y congojas en este mundo.

—Como tú dispongas estará bien —dijo el náufrago, de nuevo adormilándose.

—Lo dicho. Mañana iré al habitado y traeré la intendencia prometida. Mientras, buen amigo, descansa.

Ramiro se levantó antes del alba. Como dormía vestido, no tuvo más que calzarse para estar dispuesto a la caminata mañanera. Salió del tabuco, ventoseó dos veces, cosa que evitó dentro de casa por delicadeza y por no despertar al náufrago con la ruda crepitud del vientre recién desperezado. Enseguida, empezó a caminar todo ligero.

El náufrago, que había oído perfectamente el concierto del farero, aguardó a que amaneciera. Cuando la primera luz tibia empezó a colarse por las rendijas del chamizo, calculó que Ramiro estaría suficientemente lejos. Se incorporó con menos trabajo del que pensaba, abandonó su cobijo entre las mantas, calzó un par de botas de piel cuarteada, más o menos de su talla, que Ramiro le había facilitado para el paseo del día anterior. Tomó un limón reseco de cáscara y una papaya que empezaba a ablandarse. Salió del refugio y se dirigió al acantilado.

Por el camino sorbió y masticó el limón hasta la piel. Hizo lo mismo con la carnosa papaya. Necesitaba sentir fuerzas, las pocas o muchas que regalaran aquellos bocados, para llegar a su destino.

Comenzó a descender con pasos muy lentos por entre las rocas afiladas de Cabo Jurado, asegurando cada huella en lo firme antes de emprender la siguiente. Durante un buen rato sudó y temió debilidad, asiéndose al canto de las rocas hasta hacerse sangre en las manos, fijando los pies como si avanzase a oscuras, cercado por la ansiedad y la tristeza ante un destino que llamaba sin que él pudiera explicarse aquel empeño, algo que le parecía insensato y también obligado. Sin remedio, como un ciego guiado por una voluntad desconocida, bajó vericuetos entre la escarpadura. La incertidumbre se le hizo grande como la mañana, insistente como el estampido de las olas.

Cuando llegó a la breve anchura que en la isla llamaban Playa Grande, el sol señoreaba por encima de las brumas y nieblas del horizonte. Vio entonces un grupo de lobos de mar que ociaban sobre la arena. Ninguno de ellos se alteró ni mostró los colmillos al náufrago cuando pasaba cerca de ellos, renqueante aún, resoplando por el esfuerzo, dirigiéndose a la oquedad entre los grandes peñascos, en el otro extremo de la playa, que el día anterior avistase cuando paseaba en compañía de Ramiro. Algunos cormoranes revolaban en la rompiente, entre espumas y pedruscos medio cubiertos de algas, cazando cangrejos y pececillos atrapados en los charcos de la marea. Un grupo de gaviotas vigilaban y patuleaban sobre un escollo liso, de los más grandes en la orilla, como soldaditos hambrientos y pacientes, en espera de que los lobos se echasen al mar y alarmasen a los peces y se formase el alboroto de brincos y rizados sobre el azul del que siempre sacaban captura.

Se detuvo a la entrada de la cueva. Le pareció más honda de lo que había imaginado cuando observaba desde lo alto. Llamó dos veces a Albabella. A la tercera, se convenció de que el lugar estaba vacío. El eco de sí mismo que era capaz de reconocer pero no de recordar le decía sin duda que el refugio se encontraba vacío, en efecto, pero no abandonado. Se sentó sobre una piedra, hundió las mejillas entre las palmas de las manos y derramó muchas lágrimas mientras esperaba.

Albabella apareció a mediodía. Surgió del mar entre la espuma y las rocas. Llevaba en la mano izquierda una red tejida con algas. Se dirigió al náufrago. Antes de abrazarlo, dejó sobre la arena la red podrida de peces brincadores en fulgor de escamas, desesperados, palpitando atónitos porque el destino los había apartado para siempre del mar.

—Ven a mi casa —le dijo Albabella.

Caminaba desnuda, como salió de las aguas. Iba desnuda como las demás mujeres que él recordaba iban vestidas. Sus ropas eran su desnudo. El sol relumbraba sobre los cabellos castaños, largos hasta la cintura, formando crenchas empapadas por el agua y la sal. Muchas gotas resbalaban, brillaban efímeras entre el vello arracimado del sexo. Algunos lobos jóvenes observaban desde lejano, erguidos los hocicos como si venteasen la presencia de Albabella regresada del mar. Su piel era cobriza, del color de la luz reflejada en el agua, surcando los caminos del agua, quizás señalándolos para que ella los recorriese en busca de peces con que llenar la red tramada de algas. La piel era broncínea y los ojos negros como una promesa de silencio en un mundo tumultuoso. Su cuerpo, imaginó el náufrago, como el de una sirena. Pensó: «Si fuera sirena completa, tendría cola repolluda y escamas de plata». Las piernas de Albabella eran largas, muy firmes, y los pies diminutos. Se dijo el náufrago: «Para no espantar a los infelices pececillos cuando aletea y se acerca y les da caza».

Entraron en la cueva. Las paredes estaban secas y el suelo cubierto con pieles de lobo marino.

—Siéntate. Descansa. Duerme un rato si quieres.

Obedeció el náufrago. Nunca había sentido una suavidad tan inmediata, acogedora, como la de aquellas pieles.

—No puedo dormir. He de estar de vuelta en el faro antes de que Ramiro regrese del puerto.

—¿Tienes hambre?

—Mucha.

Albabella no encendió fuego. Nunca encendía fuego en su caverna ni en ninguna otra parte. Sacó algunos pescados de la red, acabó de rematarlos mordiéndoles la cabeza. Sorbía sin apartar los ojos, negros como carbones apagados, brillantes como la noche calada de estrellas, de la mirada indecisa del náufrago.

—Ellos me regalan sus pieles. Los lobos. Cuando se hacen viejos y saben que van a morir, vienen a mí y aguardan el último suspiro. Los despellejo, pongo los cueros a secar y arrojo sus demás restos al océano, para que los devoren los peces y tomen venganza justa. Cuando yo muera, haré lo mismo. No tengo a quién dejar mi piel en herencia, pero me tenderé en la playa, cerca de la rompiente. La marea me llevará lejos sobre las aguas y los peces me comerán.

Mientras hablaba, abría a pequeños bocados, también ayudándose con las uñas, las tripas de los peces. Las masticaba cerrando los ojos, en una especie de rito de la sangre, al menos eso le parecía al náufrago. Después arrancaba las cabezas y las tragaba de golpe. Tendió uno de los pescados, destripado y descabezado, al náufrago.

—Nunca comí pescado crudo…

—Lo hiciste, pero no lo recuerdas. Come.

Obedeció el náufrago. Mordió la carne dura, fresca, de los peces que muy poco antes navegaban alegremente entre mares, sin sospechar que el estómago hambriento del náufrago sería su sepultura. El sabor, en efecto, no era desconocido.

—¿Sabes quién soy?

Asintió Albabella con la cabeza, sin dejar de masticar.

—¿Quién soy?

—Come. Estás muy débil.

Durante un buen rato masticaron y callaron, observándose el uno al otro. Comieron hasta terminar la abundante carga de la red. Ella permanecía sentada en el suelo, con las piernas recogidas, las rodillas cerca del pecho breve, de pezones prietos. Por la hendida entre tobillos, mostraba la escueta abertura purpúrea del sexo.

—Estás demasiado débil para pensar en eso —dijo Albabella, le pareció al náufrago que divertida.

—No lo hago —admitió él, porque era verdad. La desnudez de Albabella la defendía de aquella mirada más que muchas ropas a muchas mujeres.

—Haces bien.

Acabó el náufrago de escupir las últimas espinas sobre la mano. Las depositó en un montoncito que igualmente Albabella había ido formando ante sus pies. Ella recogió los trozos de esqueleto y algunas trizas de piel, se levantó, se acercó a la entrada de la cueva y echó fuera los despojos.

—Para las gaviotas.

Antes de volver a sentarse, tomó una concha de bivalvo, grande como una escudilla, se aproximó a una piedra de aguja que goteaba sin cesar, formando un charco bajo el pico poroso. Recogió agua recién nacida y la llevó al náufrago.

—Bebe.

—No tengo sed.

—La tendrás dentro de un rato. Bebe.

Obedeció otra vez el náufrago. Cuando hubo terminado y ya sentía la carne cruda de los peces flotando en su tripa, insistió en la pregunta:

—¿Quién soy?

Sonrió Albabella antes de responder. Sus dientes eran blancos, como los colmillos de los lobos marinos. Blancos y, tuvo la impresión el náufrago, un poco filosos, como hechos para capturar pescado y comerlo medio vivo.

—Te llamas Torga. De nombre entero Manuel Torga, como Manuel Torga fue tu padre, aunque la gente, a él y a ti, os llamaban Torga por lo llano. Naciste en Isla de Lobos.

—No, no. Te equivocas —objetó el náufrago inmediatamente—. Mi patria nunca fue Isla de Lobos. Llegué a la isla hace unos días, agarrado a un madero que viraba hacia la costa, lo que gracias al Altísimo me salvó la vida.

Albabella soltó una leve, muy limpia carcajada.

—Torga, desde siempre. Nunca saliste de la isla.

—¿Cómo puedes estar tan segura de un disparate semejante? —se quejaba el náufrago, recién bautizado Torga por Albabella.

—Porque sé de ti desde hace mucho. Y lo que no sé, me lo han contado los lobos.

La miró el náufrago con extrañeza, denotando su temor de que la sirena que no era sirena completa, además de haber extraviado la cola de escamas de plata, hubiese perdido la razón.

—No estoy loca —continuaba ella, risueña.

—Pero los lobos de mar no hablan —replicó el náufrago.

—No hablan, pero cuentan.

—¿Cómo?

—Está todo en su mirada.

—La mirada tampoco cuenta cosas.

—No cuenta, pero dice. Yo sé leer en sus ojos. Ellos lo saben todo, lo han visto todo desde antes de que la isla existiera. Conocen la historia del mundo, de lo que hay sobre los mares y en lo profundo de las aguas, de las islas y de la tierra extensa, donde puede vivirse en infortunio, sin ver nunca el mar. Todo lo han aprendido y todo me lo dicen.

—¿Y ellos te han dicho que nací en Isla de Lobos?

—Eso lo sé yo.

—¿Y qué más sabes? —retó el náufrago a Albabella.

—Nunca saliste de la isla. Nunca. Don Augusto Rivero te subió a las naves del francés La Párouse, para que te condujeran a la costa española, como emisario de sus conquistas en esta latitud; y de aquellas naves regresas tras el naufragio, o mejor dicho, después de que La Párouse y todos sus oficiales y marinos, tras vagar qué sé yo la de tiempo por el norte y el sur, el este y el oeste en nuestro horizonte, sin alejarse nunca de Isla de Lobos ni emprender viaje a ninguna parte, desesperados y muy aburridos de la aventura, decidieran hundirlas y dejarse morir en el océano. Tú te libraste porque aún ansiabas la vida.

—Te contradices —argumentó el náufrago, muy seguro de sí—. Afirmas que nací en Isla de Lobos y que nunca abandoné este lugar, pero aseguras también, tan convencida, que don Augusto Rivero quería retornarme a España. ¿En qué quedamos?

—En que el Ministro Único y Primer Magistrado no sabía lo que se hacía, y en que tú habrías aceptado tanto ser emisario español en viaje al puerto de Sevilla como jinete húngaro camino de la séptima cruzada. Tú querías salvarte de la isla, dejar esta esquina del mundo muy atrás, tan lejos como grande es el océano. Pero has regresado. Nadie escapa de Isla de Lobos.

Pensó el náufrago unos instantes su respuesta. Expuso la última objeción:

—¿Y por qué estaba tan ansioso por abandonar Isla de Lobos?

—Porque la isla se acaba. Todo acaba, dulce despistado Torga. Lo temías tú y lo sabía don Augusto Rivero. Por eso te eligió para que embarcases junto con los franceses y los hombres de la Santa Ignacia que seguían enfermos o trastornados.

—¿Todo acaba? ¿Qué significa eso de que todo acaba?

No lo entiendo. No lo entendería aunque lo barajases nueve veces.

—Confórmate con una sola explicación, Torga.

—Qué manía. Mi nombre no es Torga... No puede ser Torga.

—Calla y deja que responda, renegado Torga. De la pena de errar en los mares y luego naufragar has salido un poco díscolo, aunque comprendo que te avasalle una verdad tan simple. Lo enrevesado siempre tiene trazas de ser cierto. Lo sencillo desconcierta. Pero esta es la verdad: todo acaba y todos andan muy confundidos. Tú el que más, desde luego.

—Eso es hablar por hablar —gritó angustiado, casi furioso, el náufrago Torga.

Sin alterarse por lo desabrido de aquel tono, continuó Albabella:

—Cálmate y escucha:

»El mundo desaparece. El mundo, digo. Y cuando me refiero al mundo quiero nombrar todo lo que entiendes por el mundo. Tu mundo, el mío... El de todos. Nuestro mundo acaba. Tú, en vez de emisario portador de novedades sobre una conquista que a nadie interesaba, deberías haber sido huertano en tus tierras, pero te faltaba paciencia para ese oficio. Intentaste después el de pescador en la costa de oriente y cazador de lobos marinos; pero el miedo al mar te caló los huesos cuando sentiste por primera vez el inmenso combar de las aguas ante la débil barquilla en que navegabas. Eso sucedió el Año del Temblor, cuando el Volcán dijo: «Soy yo», por primera vez desde que pies humanos pisaron Isla de Lobos. Tuviste mala fortuna, Torga. La tierra se agitó, el mar alzó su vientre hasta cubrir el horizonte y estuvo a punto de tragaros a ti y a los que costeaban contigo en el pesquero. Ese terror te hizo desdichado para siempre. Hiciste refugio tierra adentro, volviste a las faenas de labrar y cosechar. Y seguías siendo muy desdichado. Por ese motivo decidió don Augusto Rivero enviarte al periplo perpetuo, junto con los franceses y los enfermos de melancolía. Esa es la verdad, como verdad es que yo, tras la muerte aún no ocurrida de mi madre, Esmeralda, tendría que haber sido ama y dueña de Isla de Lobos. Tuve el mismo miedo que tú; no del mar sino de la tierra pequeña que habitamos, y de las cosas y las personas que hay sobre la tierra. Al contrario que tú, Torga, nunca sentí desasosiego ante el mar. Aquí vine, hice mi casa… Me convertí en parte suya, igual que las aves que nos sobrevuelan y los lobos que cazan y tragan a sus presas entre olas y crestas de espuma. Aquí me siento en plena tregua; no invulnerable, pero tranquila. De esta forma, tranquilamente, espero el final de todo.

Se puso en pie Albabella. Se dirigió a la piedra cóncava donde el agua remansaba y bebió directamente, abrevándola con un poco de ansia, como si el discurso le hubiese resecado la garganta. Sus cabellos caían hacia delante, cubriéndole los pechos. Quedaban a la vista sus nalgas redondas, rotundas, torneadas por años en la dedicación y placer de nadar entre los lobos y capturar peces.

—El final de todo, ¿por qué? —susurró el náufrago, no muy convencido tras las palabras de Albabella.

—Porque todo acaba, demonios. Ya lo dije antes.

Volvió a sentarse. El náufrago llamado Torga volvió a contemplar el sexo abierto, resbaladizo a su mirada con cada movimiento de ella.

—Acabar —insistió—. ¿Acabar, el qué?

—Nosotros. Los que viven en los barcos y en islas adonde nunca llegan más barcos que los de guerra y piratería. Los que van al mar como quien va a la guerra, y mueren cuando no aman y viven para olvidarse de amar. Los que prenden fuego en las montañas y hacen señas a los navegantes para atraerlos y robarles todo lo que poseen. Los hombres de equipaje, los de pólvora a pie y a caballo. Los que labran su futuro y luchan contra cualquier destino. Los que construyen murallas en torno a sus ciudades y quienes las asaltan y gritan de apetencia y rabia antes de morir. Los que hicieron un imperio en los mares y derramaron toda su sangre para defenderlo, porque anhelaban el poder más que el oro y cualquier otra cosa de este mundo. Los que reniegan como esclavos mientras pelean contra la negra suerte y nunca consentirían morir sin sentirse libres… Ya no existimos, Torga. Hemos desaparecido hace mucho. Ahora, solo falta que se esfume el mundo que nos sostiene. Acabará pronto.

—El fin del mundo, qué disparate —el náufrago se oponía con vehemencia—. El santo libro de la santa Biblia detalla los signos del fin del mundo, y ni uno de ellos has referido. Ni uno.

—Entonces —sonrió Albabella, algo malévola—, tal como aconseja el mismo Libro, ¿no eres de esos hombres que llevan siempre consigo su recompensa?

El náufrago llamado Torga no supo qué responder. Se echó a llorar.

Albabella volvió a abrazarlo.

***

—¡Estás loco! ¡Completamente loco! —le reprochaba Ramiro.

Había despertado en el tabuco del vigilante de la costa, arropado de nuevo entre mantas. Se sentía extenuado, sin ánimos para hablar.

—He buscado hasta la caída del sol. Casi era de noche cuando te encontré. Creí que nunca volvería a verte… Insensato…

El recuerdo de la peripecia desasosegaba al farero, como si reviviese una pesadilla horripilante.

—Si te hubiera perdido, nuestra ama habría ordenado que me arrojasen al mar tras sacarme los ojos y arrancarme los dedos de los pies, como poco. ¿No te das cuenta del peligro al que nos has expuesto?

—Lo siento —respondió el náufrago, sin saber exactamente de qué se disculpaba.

—Por fortuna di con tus huesos en una senducha, entre ramas torcidas, a media bajada desde el acantilado a las arenas de Playa Grande. ¿Qué demonios se te había perdido en ese andurrial?

—Intenté caminar un poco, probar mis fuerzas —ideó el náufrago la excusa que le parecía más verosímil—. Seguramente me extravié, la debilidad me ganó y acabé por perder el conocimiento.

—¡Pues no vuelvas a abandonar este refugio, a menos que yo te acompañe! ¿Lo entiendes? No puedes ir a ninguna parte si no vigilo cada uno de tus pasos.

Asintió el náufrago. Dio media vuelta el farero, aún enojado. Durante un rato se dedicó a trastear en los enseres que había conseguido en el habitado del puerto.

—Fruta. Pan. Carne fresca. Pescado más fresco aún… —enumeraba los avíos, que seguramente le costó mucho reunir, como pruebas irrefutables de su esmero en cuidar al náufrago, así como de la ingratitud de este, de sobra demostrada al abandonar la casucha y perderse en la escarpa, camino del mar.

Reunió fuerzas el náufrago para intentar congraciarse con el farero.

—Te lo agradezco. Sé que soy una carga grande para ti, y una responsabilidad aún mayor. Si Dios me da fuerzas y su providencia dispone que me recupere, aparte de gratitud perpetua te deberé el cariño de un hermano, de un hijo por su padre.

Refunfuñaba el contador de olas:

—Bueno, bueno… Menos coba. No sé si todos los náufragos sois iguales. Me figuro que no, que los habrá de muchas clases; pero tú perteneces sin duda a los de índole revoltosa y zalamera. Puedes disculparte lo que quieras, pero el disgusto no me lo quita nadie.

—No hay nada que excuse mi torpeza —se esforzaba el náufrago por lisonjear a Ramiro—. Solo pido tu perdón.

—Eso, encima de cornudo, ponme ahora en el brete de ser buen cristiano: la obligación de perdonar.

Al náufrago le pareció que en el semblante de Ramiro atisbaba una sonrisa.

—Aunque sí hay algo que podrías hacer. Por llamarlo así, una penitencia.

—Cuenta con ello —suspiró el náufrago, abrumado por el agotamiento.

Rebuscó el farero en el zurrón donde transportase las viandas y demás intendencia. Sacó dos pliegos de vitela, escritos con tinta de cochinilla.

—Pertenecieron a Secundino, el comerciante de libros. Yo no sé leer. ¿Tú eres capaz de hacerlo?

—Claro está.

Tendió Ramiro los pliegos al náufrago.

—En voz alta, que yo lo oiga bien oído.

—Hay poca luz —dijo el náufrago.

—Pues aguza la mirada mientras avivo el fogatín. Lee mientras.

El náufrago examinó los pliegos, acercándolos hasta casi rozar la tinta con la punta de la nariz.

Era un poema, sin duda escrito por el mismo Secundino, quien en vida de don Augusto Rivero, Ministro Único y Primer Magistrado de Isla de Lobos, ejerció de su cuenta y sin nombramiento gubernativo, aunque reconocido por todos, el menester de poeta local sin lauro ni beneficio.

Tomó aire el náufrago, con la esperanza de juntar fuerzas que le permitiesen una lectura medio entonada. Comenzó sin mucho ánimo y acabó extenuado.

Algo importante, y si no importante bien triste, ignoraba el náufrago sobre aquellos versos. No sabía que fueron los últimos escritos por el librero de suerte funesta. Ni el náufrago de nombre Torga, Manuel, ni Ramiro ni nadie en Isla de Lobos lo sabía. Lo sabe quien esta memoria redacta, es decir: yo mismo; y lo sé porque, si no lo supiera, no mereciera decirme relator de la presente historia ni de ninguna. Concluyendo, se sabe ahora tanto que el nombre verdadero del náufrago es Torga como que Secundino, abrumado por la pena de un vivir sin más estímulo que durar y no morirse de asco, escribió aquellos versos antes de colgarse de un madero en el techo de su paupérrimo establecimiento, donde tantas miserias pasó como libros y versos dejó de vender durante el tiempo que habitase en Isla de Lobos. Al final, leyendo, leyendo, todo se sabe. Casi todo se sabe.

Leyó el náufrago:

Cazadores en la noche.

Oculto mi temblor bajo la piedra,
ya apagado el fuego que alumbraba este cobijo,
y en silencio, por el miedo aferrado,
escucho el aleteo de las aves
más negras que el negro de la noche
en busca de la sangre de los míos.

Sus ojos se encienden como estrellas
y augurios de muerte en el arriba,
en sus bocas la mueca de este infierno,
en sus garras la herida del destino.

Revuelan en la sombra y el contorno
de esta isla poblada de tinieblas,
graznan su promesa al dios del fuego
que dormita agotado en altas cimas
donde un hombre es un alma sin regreso
y el aire una venganza del azufre.

Son ellos, cazadores en la noche
escrutando rumores fugitivos,
el chasquido de una lágrima al quebrarse,
el clamor de sepulturas donde el miedo
corrompe cada miedo en cada espíritu.

Llegará un alba sin sosiego
y las aves de la noche habrán saciado
su avidez de pavores y ceniza.

Mientras duermen
si mi alma no se encuentra en sus estómagos
gozaré la digestión de este lamento.

—¡Lo sabía! —exclamó Ramiro nada más acabar el náufrago la declamación—. ¡Lo sabía!

—¿Qué sabías? —jadeó el convaleciente.

—Que eres hombre ilustrado, geógrafo lo más seguro. O algo de más importancia. Relator de la corona, o auditor de pleitos. O poeta como el pobre Secundino, sin ir más lejos.

—Qué disparate.

—Nadie sin cuidadísima educación, de esas que solo los ricos de este mundo pueden permitirse, leería versos como tú lo haces.

—Seguro que te equivocas —jadeó el náufrago.

—Ya te volverá la memoria. Ya me darás la razón.

Geógrafo, relator, auditor de la corona, incluso escritor de versos. Pensaba Torga el náufrago en aquellos oficios. Recordó otro más reciente: emisario ante el rey de España, llevador de noticias y portador de actas de dominio sobre Isla de Lobos, tal como asegurase que fue su destino la medio sirena desnuda del todo en mujer, Albabella.

—Dime una cosa, Ramiro. En todos los años que llevas aquí, en Isla de Lobos, ¿has conocido a alguno llamado Torga? Manuel Torga.

Se rascó la coronilla el farero. Pensó unos instantes.

—Torga... Puede ser. Torga... Caramba, no lo sé cierto. Podría decirte que sí y equivocarme, o aventurar la contraria y errar lo mismo. Torga... ¡Demonios! En Isla de Lobos hay gente de todos los nombres, de todas partes, un rejuntado sin timón ni arquitectura. Hay mauritanos medio locos que van y vienen y nunca acaban de marcharse del todo, y holandeses ávidos de comercio que no se deciden nunca a navegar, y alemanes de guerra sin disparo que hacer con sus viejos mosquetes, ingleses borrachos y gente de América que ya ni recuerda los bailes y músicas aprendidas cuando niños, en la selva de cada cual. ¡Hay demasiada gente y nadie parece tener ganas de marcharse de aquí y dejarnos tranquilos con nuestro mar y nuestros vientos, nuestros días de sol valiente y los de lluvia a espuertas! Deberían largarse de una vez, en paz y con Dios. A lo mejor entonces sería yo capaz de aprender los nombres auténticos de los vecinos cabales.

—Está bien. No te desconsueles.

—Y a ti, ¿por qué te ha entrado esa curiosidad del Torga y el no Torga?

—No lo sé. Debo de haber soñado con ese nombre.

Compuso el farero una expresión incrédula. Dejó el debate, sin embargo, para otra ocasión. El náufrago, fatigado como si cargara sobre los hombros una vida entera, incapaz de recordarla pero sintiendo su peso tremendo, empezaba a quedarse dormido.

—Duerme, duerme —le decía Ramiro—. Descansa y ve reponiendo fuerzas, que buena falta te hace. Buena falta nos hace a los dos.

— VI —
DON AUGUSTO RIVERO

De don Augusto Rivero contaban las gentes de opinión, y también los botarates, que fue nacido en tierra adentro y bien seca, en algún poblacho estepario de la árida Castilla, país de pan llevar y la bolsa guardar, de esos que se extienden en barbecho por el vacío de los mapas, donde maldicen su nombre lugares como Mataperros, Malahorcado, Moscas del Baldío, Zotes del Páramo y sitios así. Eso explicaba, decían, su carácter áspero, tenaz y siempre dispuesto a la guerra, a los combates grandes y pequeños de la vida, que ninguno lo echaba atrás: ni la minucia de un bofetón propinado a algún díscolo ni los fragores tartáricos de una batalla en alta mar.

Decían de él que quedó brazos en jarras, expresando desafío, la primera vez que vio el mar; aquella cosa mojada, tan blanda y, le pareció, la mitad de grande que los yermos y pedrizas donde sus ojos se hicieron duros desde la niñez. Aquello no podía ser tan temible, ni por arriba ni por debajo, ni por sus sendas ni en sus ancladeros, como algunos le habían advertido. «Lo que hay es mucho pusilánime, mucho nacido en almíbar y criado entre algodones», debió de pensar.

Se echó a la mar por ocasión, no por devoción; en pocos años hizo el medre de marino a oficial, y gracias a una tempestad que dejó sin gobernanza el jabeque donde servía, y gracias también al valor con que tomó el mando y sacó del apuro a la nao y sus tripulantes, tomó el empleo de teniente. Para capitán de la Santa Ignacia se le promovió a caso visto, pues no había en las oficialías de España ni en todas las naves del imperio quien se atreviera a viajar hasta un confín tan maldito como Isla de Lobos y, aunque el Ministerio de Navíos y Guerra Maradentro solicitara voluntarios y ofreciera buena recompensa, todos cerraban los oídos y se echaban a navegar hacia cualquier destino para que la noticia les llegase cuando no pudieran atenderla. Don Augusto Rivero fue el único que respondió a la demanda del Almirantazgo, a pesar de no tener galones para mandar una fragata. Con toda serenidad, en el tono tranquilo y poderoso que siempre utilizaba, propuso a los gobernantes del océano: «Si encuentran sus mercedes otro que quiera emprender la aventura, por mí estaré encantado de servirle como segundo, tercero o quinto de a abordo. Si no lo hallaren, con firmar un pliego donde se me nombre capitán, asunto arreglado».

Los mandamases de la Armada, finalmente, no tuvieron más remedio que satisfacer la pretensión de don Augusto Rivero, quien para ese entonces ya había ganado fama de caminar sobre cubierta, en alta mar, firme como si pisara en los descampados de su villorrio de origen, así como de no marearse nunca en tierra firme, un inconveniente que sufrían todos los marinos en cuanto ponían en puerto las plantas de los pies, tras semanas y meses de vaivén sobre el oleaje.

—Este hombre es terco, rudo como un arado y sólido como un pedregal —dijo el almirante que firmaba el nombramiento—. Lo que no sé, es si servirá de veras para esta misión.

El secretario y tenedor de despachos comentó sin traba ni vergüenza:

—¿Y qué más da? Ni ha de volver de ella ni hemos de

recibir noticias suyas en jamás de los jamases. Si lo consigue, bien. Y si no lo lograse, decimos a su majestad que, en lo concerniente a Isla de Lobos, todo marcha conforme a lo previsto. Y acá paz y después gloria, y ojos que no ven, y algunos otros refranes adecuados al caso que se me ocurren y callo por no hacerme prolijo.

Así fue como don Augusto Rivero fue nombrado capitán de la Santa Ignacia, tomó dos oficiales novatos y bastante despistados para su estado mayor en periplo, sesenta infantes de marina y cuarenta y cuatro navieros, todos ellos ignorantes del destino que les aguardaba. De principio les dijo que embarcaban hacia las Canarias. Luego, Dios y el océano dirían. Y tanto dirían como que al final dijeron. Cuando don Augusto Rivero, veinticuatro días después de la partida, mandó desviar el rumbo, sortear la Canaria Grande y poner proa a Isla de Lobos, no había en la Santa Ignacia quien rechistase sus órdenes ni en voz baja. Marinería y tropa estaban de acuerdo: si aquel hombre tomaba el capricho de llevarlos al infierno, con mejor o peor gana harían el viaje en su compañía. Y que se fuera preparando el diablo, pues brava le venía de poniente.

Fue así como la Santa Ignacia, su tripulación y su capitán don Augusto Rivero llegaron a Isla de Lobos. Sabemos, porque se ha contado, cómo hicieron la presencia, se parlamentó con los franceses, se tomó posesión de la isla para la corona de España y declaró don Augusto Rivero las potestades del mando para él y solo él, sin repartir con nadie la autoridad en aquellos confines. Ya lo tenemos almirante y legislador, césar y juez, virrey y gobernador general plenipotenciario de Isla de Lobos, conocedor de que nadie, nunca, ni de España ni de ninguna otra nación, ni de las costas de la morería ni de los archipiélagos del Mákaros, iba a pedirle cuentas ni reclamar una pizca de su dominio. Y como tal señor, sin voz que le contestase ni alma descarriada que soñara por remoto en oponérsele, comenzó su imperio desde la cresta del Volcán a las costas fatigadas por los vientos y rastrilladas por las mareas de Isla de Lobos.

Las primeras providencias fueron muchas, pues no era don Augusto Rivero hombre de hacer las cosas poco a poco y una detrás de otra. En privado, con quienes tenía suficiente confianza, siempre alegó que había dejado los páramos y cosechales de la tierra huraña que lo vio nacer, y cambió aquella vida resignada por los azares del mar, porque le exasperaba la lentitud y cachaza con que todo sucedía allá donde las peñas y labrantíos eran único y eterno paisaje. Aborrecía la sumisión campesina al tedio, para él insufrible, de un tiempo circular, sin más principio que nacer ni otro fin que morirse, todo en taimado compendio de cuatro estaciones que se sucedían una a la otra en orden perfecto, mortífero, una vez y la siguiente, y la siguiente a la siguiente, y siempre igual. Satisfechos en aquella trampa, ensogados a la percha que movía la noria de primaveras, veranos, otoños e inviernos, los campesinos de su natural se dedicaban, principalmente, a esperar: esperaban que dejase de llover para acudir a los campos, esperaban que la siembra empezase a dar señas de resurrección bajo el suelo agitado como la piel de algún animal muerto a golpes, esperaban que volviera otra vez la lluvia, esperaban que los trigos y pastos creciesen, esperaban el tiempo de la siega… Siempre esperaban. Él no había venido a este mundo para esperar, porque quien se dedica a contar horas de nada como ley suprema, al final encuentra la sentencia definitiva: irse al otro mundo sin haber hecho otra cosa que dejarse masticar por el tiempo.

—El mar nunca es el mismo, caballeros, señores míos —decía en aquellas ocasiones, con suficiencia heraclitiana—. Ni somos nosotros, los hombres de equipaje, los mismos a la partida que al arribo. El mar nos transforma porque conduce nuestras vidas de un lugar a otro, y cada sitio en este mundo tiene su razón y su significado. De tal forma, mientras la gente de tierra adentro, arado y carro de bueyes, vive una vida que en verdad es la enervante reiteración de un puñado de bostezos y sudores inútiles, los hombres de mar vivimos tantas vidas como periplos hicimos, y proclamamos tantas razones para estar como piélagos hemos surcado. No somos espíritus inermes en manos de la fatalidad, sino que nuestra estirpe alza la testuz y arremete en busca de todos los destinos que quepan en la codicia de su alma.

De esta forma y sobre este asunto pensaba don Augusto Rivero. Aunque estaban el relato y el relator por enunciar cuáles fueran las prontitudes dictadas por el capitán de la Santa Ignacia cuando se vio y se supo y proclamó señor de Isla de Lobos. Empezó por lo que le parecía más evidente: nombrarse Ministro Único y Primer Magistrado de la isla, pues un cargo sin nombre es como una patada al viento. Aquí aplicó don Augusto Rivero la doctrina, muy fundada y muy estudiada en las universidades europeas de la época, de un tal Christian Feligl, antropólogo y jurista de cámara del emperador de Austria-Hungría, según la cual, y en resumen, «el título hace al cargo, y el cargo establece el poder». No consultó con sus oficiales aquellas conclusiones teóricas de importancia, entre otros motivos porque los mandos de la Santa Ignacia eran de suyo abruptos de pensamiento y espesos de entendederas, ende el absoluto desinterés que habrían manifestado por la escuela vienesa de Filosofía del Derecho. Se limitó a notificarles, sin mucha pompa ni solemnidades, que en adelante y por todo el tiempo que el mundo estuviera rodando, era él quien mandaba en Isla de Lobos, así como hiciesen la merced de no dirigirse a su persona con el sabido tratamiento de «capitán», sino con el más protocolario de Excelentísimo Primer Magistrado, o bien Ministro Único, sin apear de la fórmula el obligatorio Excelentísimo. En todo caso, y si la ocasión era urgente, podían llamarlo Su Excelencia, que tampoco iba a ponerse picajoso por un aumentativo de menos. Los oficiales recibieron la noticia con la atención de quien lleva una semana bebiendo forrajero endulzado con miel de abeja, encamándose con las pelanduscas que ejercían su oficio y contagiaban ladillas en el barrio portuario, durmiendo las resacas en hamacones, tendidos en la calle de lado a lado, que los holandeses alquilaban a medio maravedí por semana, y ninguna otra cosa que hicieran. De tal forma, el nombramiento capital de don Augusto Rivero fue tanto el cumplimiento de un sueño para él como parte de un pegajoso duermevela para sus subordinados de la Santa Ignacia. El resto de la tripulación y demás habitantes de Isla de Lobos, nada tuvieron que decir ni opinar ni alabar ni objetar a la decisión de don Augusto Rivero, sencillamente porque no era asunto suyo.

Al mismo tiempo que concluía estos trámites, se encargó el Primer Magistrado de poner en marcha y bien rápido algunas ordenanzas que consideraba inaplazables. La más urgente, reunir a la marinería de la Santa Ignacia y mandar que acoderasen la nave en el puerto, por el lado de babor, dejando los cañones listos y guarnecidos para ser utilizados en el caso improbable, más bien imposible, de que fuera necesario defender Isla de Lobos ante cualquier invasor despistado. Sobre los cañones de estribor y las lombardinas del alcázar y proa, dispuso que se bajasen a tierra y se distribuyeran por las cuatro colinas desde las que se dominaba el puerto. Para que no fuesen perdularios a robar pólvora o munición, mandó también construir pequeños pero bien recios y fuertemente enclavados cobertizos en cada uno de aquellos emplazamientos, y que los mismos tuviesen vigilancia de día y de noche, sin faltar en ninguna fecha del calendario, ya fuese Navidad, Viernes Santo o Domingo de Pascua. Con el filo de sus palabras y la tinta de su voz escribió en el aire la primera ley de su mandato, dirigiéndose a los marinos: «Quien abandonase su turno de guardia en los almacenes de pólvora, munición y armamento, sería reo de pena capital». Lo explicó de esta manera:

—Lo siento mucho, hijos míos. Sé que estas culpas se pagan en alta mar con media docena de latigazos, y en tierra firme con un mes de arresto a pan y agua; pero haceos cargo: la patria está lejana, las leyes del rey no llegan ni asoman siquiera a doscientas millas de estas costas, la indisciplina nos conduciría al caos, y el caos a la guerra civil, y la guerra al canibalismo; eso está más que comprobado y lo tengo más que leído en todas las memorias de navegación que se escribieron sobre periplos, arribadas y guarniciones en circunstancias parecidas a la nuestra. Sea entendido: si hoy impongo castigo mortal a quien deserte de su obligación, es porque os tengo gran afecto y no quiero que os comáis los unos a los otros el día de mañana.

Un marino ferrolano, al parecer de nombre Bodenero, aunque el dato es discutible y además no tiene relevancia, preguntó al Ministro Único:

—¿Mientras permanecemos en la custodia de esos cabañales, podemos emborracharnos?

—Claro que sí, hijo mío —respondió don Augusto Rivero, benevolente—. La embriaguez en público se castiga con dos bofetones, y si es en privado, como el caso que me planteas, se solventa con una regañina y la obligación de ir a confesarse por el pecado de gula. Ya hablaré con el sacerdote de la isla, el tal presbítero don Manuel de Garceses, para que os vaya sermoneando al respecto.

Acataron los marinos todas aquellas instrucciones sin hacer más debate, por parecerles justas, y no se expusieron otros asuntos en la retreta.

Garantizado el orden militar, se dedicó el recién nombrado Ministro Único a otra tarea que le parecía muy necesaria: construir su residencia, la cual, por una simple cuestión de economía, serviría igualmente como sede de Administración y Gobierno, y también Palacio de Justicia de Isla de Lobos. Reunió a un carpintero germánico, quien llevaba en la isla desde el Año de las Moscardas, y a un naviero mauritano que se decía descendiente de alarifes nazaríes, de los que conquistaron Tombuctú en tiempos de Yuder Pachá, y de quienes afirmaba haber heredado los primores del oficio, si bien nunca lo ejerciera por serle de más renta la piratería en alta mar. Al tudesco y al mauritano de abuelos granadinos les encomendó reunir cuantos trajineros hicieran falta y comenzar de inmediato la edificación del palacio ministerial, así como dos almacenes bien generosos de proporción, uno para los efectos navales y militares y otro para acopiar suministros, víveres y toda clase de intendencia. Les advirtió al respecto:

—Hasta ahora se ha vivido en esta isla a la buena de Dios, sobreviviendo sus moradores como matas de habas en verano. Ya es hora de inventariar y guardar provisiones, censar plantíos y fauna doméstica, llevar cuentas de lo que se cría y lo que se gasta o se pierde, lo que se cambia, se vende y se compra, y cobrar los tributos necesarios... Es el abecé de toda buena administración y recto gobierno, digo yo, y lo digo muy convencido de haber dicho bien.

El alemán carpintero sabía algo de español y en ocasiones se atrevía a parlotearlo. Decidió que se encontraba en una de esas:

—¿A quiénes convocamos para que se pongan a la tarea, Excelencia? Porque en Isla de Lobos, como habrá imaginado, y si Su Excelencia no lo ha imaginado ya lo conocerá de propia observación, las gentes son poco amigas de doblar el lomo. Si exceptuamos a quienes viven de sus huertas y labranzas, en el interior de la isla, aquí nadie sabe lo que es un pico y una pala, y si alguno tiene callos en las manos será de tanto darle a los naipes o de rascarse los sobacos a la hora de la siesta.

—Eso es lo de menos —respondió don Augusto Rivero, sin dar ninguna importancia a los inconvenientes que planteaba el alemán—. A trabajar y a sudar se nace sabiendo. Es mandato bíblico y de suyo natural al ser humano. Juntadme a los ingleses derrotados por La Párouse que ocian en las orillas al norte de la isla, también unos cuantos holandeses de esos rubicundos y fortachos que he visto merodear por los alrededores de la taberna y el prostíbulo. Los demás que hagan falta me los ponéis de relleno, a buen ojo, pues en vuestro criterio confío. Eso sí, de mauritanos y otro personal de turbante no hagáis mucha leva, pues tengo comprobado que son flojos de voluntad y flaquean en cuanto se les señala un madero que cargar o una piedra que labrar. No me apetece, de momento, dictar un bando que castigue la vagancia con multa de siete cobres y una semana de dormir en la playa, con las estrellas por manta y los lobos de mar mordiendo los pies al reo. Aún no me conocéis, buenas gentes, pero estimo más la pacífica avenencia que el rigor en la disciplina. Aunque, eso también: nunca me veréis temblar ni titubear a la hora de aplicarla. Me refiero a la disciplina.

—Los ingleses, Su Excelencia... —barbotaba el germano—, están siempre embriagados con esa ginebra de piel de patata que destilan en su acampada del norte.

—No os preocupéis por eso. Enviaré un destacamento de mis infantes de marina, los pondrán presos una semana, hasta que se les pase la borrachera; cuando estén despejados y con el seso repuesto, les expondré lo que hay: o trabajan en las obras públicas o los echamos al mismo mar del que aparecieron. Ya veréis cómo espabilan.

—Como ordene Su Excelencia —asintió el alemán carpintero.

El nauta mauritano descendiente de constructores nazaríes subordinó también la mirada, y así la voluntad, al dictado del Ministro Único. La virtud de los piratas por devoción, aunque parezca extraño, suele ser la obediencia. Cierto que sirven por lo común a jefes deleznables, pero obedecen. Y don Augusto Rivero sería como fuese y sus cosas tendría, pero deleznable no era. Por tanto, hizo bien el mauritano: obedeció y cumplió lo mejor que pudo.

Se llevó a cabo lo previsto por el Ministro Único respecto a los ingleses beodos, la recluta de nórdicos vigorosos y demás tropa de faenar. Las obras de la residencia virreinal comenzaron pronto y avanzaron a paso adecuado: ni muy rápido para no caer en las tentaciones de la chapuza ni demasiado lentas como las del Escorial, demora que estuvo a punto de dejar sin sede yacente y refugio de expiración al gran rey don Felipe, segundo de los de su abolengo; chascarrillo histórico que se introduce con intenciones de amenidad y que el lector de estas páginas es muy libre de reputar como excurso inútil, así como olvidarlo cuando quiera. A lo que íbamos.

A los pocos meses de iniciarse la construcción de la magna sede administrativa, una mañana cuajada de vientos y deslustrada de luces, se presentó en las estancias de don Augusto Rivero una mujer de concluyente presencia, la cual aseguró que no se movería de allí hasta ser recibida por el Ministro Único. Don Augusto Rivero preguntó al oficial que le llevaba la noticia quién era aquella arriscada hembra.

—No lo sé, Excelencia. Pero por sus trazas y ademanes, me da la impresión de que es muy capaz de cumplir su palabra.

—¿Cómo es?

—Negra, renegra de llamar la atención como una mosca en un vaso de leche. Y muy hermosa.

—¿Te ha dicho cómo se llama?

—Esmeralda.

—Bonito nombre. Hazla pasar.

Entró ella enseguida. Se plantó ante don Augusto Rivero con las manos cruzadas por bajo el delantal, a la altura púbica, asentando la rotundidad clamorosa de sus hombros redondos como manzanas, el cuello grácil, las facciones dulces de abeja tranquila en su panal, la mirada honda… Le pareció al Primer Magistrado que, además de honda, grande como los llantos del océano; y sus pechos como lava dormida, prometiendo desperezar cuando el deseo por varón la incendiase; sus caderas firmes y sus piernas largas, tensas como de gacela a punto de darse a la carrera. Quedó muy impresionado don Augusto Rivero ante la contemplación de Esmeralda, cosa que ella notó desde el primer momento.

—Qué quieres de mí, mujer.

—Ser tu amante —fue la respuesta de la negra.

Lanzó una risotada don Augusto Rivero, en el fondo muy halagado.

—¿Cómo se te ocurre?

—Porque solo a mí se me pueden ocurrir estas cosas —respondió Esmeralda con todo desparpajo—. Y solo yo puedo hacerlas realidad.

—¿Cómo estás tan segura?

—Porque te conozco, Augusto. Sé cómo eres, igual que me sé a mí misma. Porque somos iguales. Repara en que no me tienta argumentar la cursilada de que «en el fondo somos iguales». No. Nada de eso. Ni en el fondo ni de lado y según nos dé la luz. Somos iguales y punto. Como que hay Dios, somos iguales.

Don Augusto Rivero, atónito, pues era la primera vez en muchísimo tiempo que alguien, hombre o mujer, se atrevía a llamarlo a secas por su nombre, también desconcertado por aquella autoritaria familiaridad y el destemplado reclamo de igualdad que la negra apelaba, intentó su tono más adusto para la réplica. Que lo consiguiera o no, no consta al relator que describe la escena.

—¿Cómo te atreves, mujer desvergonzada? Ni te he dado venia para apearme los tratamientos y mucho menos tutearme, ni desde luego sueñes con que voy a pensar, por medio instante siquiera, que tú y yo podamos ser iguales en nada.

—Pero lo somos —se obcecaba Esmeralda.

Guardó silencio el Primer Magistrado. Meditó un momento. No consideraba la posibilidad de que se hubiese colado una trastornada en su escribanía, ni le parecía lógico que persona tan segura de sus palabras se dirigiera a él, de aquella manera y con tales formas, a menos que tuviese buenas razones para hacerlo.

—Voy a escucharte, mujer —concedió, tan magnánimo—. Pero te lo advierto: al primer disparate que salga de tu boca, si faltas al respeto que me debes, te echo a patadas de esta habitación, te entrego a mis soldados para que pasen un rato contigo y desfoguen las ansias viriles que llevan reprimiendo mucho tiempo, pues les tengo prohibido visitar el burdel; y te devuelvo al hogar del que hayas salido, llena de moretones y más baqueteada que un mosquetón en la guerra de los Yucatanes. Prevenida quedas.

—Agradezco los consejos, aunque no la oportunidad —respondió Esmeralda, inmutable ante las amenazas del Ministro Único, las cuales juzgó más teatreras que verídicas; y aunque genuinas hubiesen brotado del alma al Primer Magistrado, la negra igualmente habría permanecido impasible.

A buenas horas iba ella a sentir miedo de ningún hombre, por muy de guerra que fuese y muy virrey de Isla de Lobos que se hubiera proclamado.

—Empieza de una vez. No tengo todo el día —la apremió don Augusto Rivero.

La negra tomó una luneta de patas y espaldar de cedro y culera de pita trenzada que había en un rincón del despacho. La llevó al medio de la habitación y se sentó lo más cómoda que pudo, como proclamando: «Esto va para largo».

Después, antes de que el Ministro Único reaccionase ante aquellas nuevas confianzas, empezó su discurso.

—Somos iguales, Augusto. Cuanto antes lo comprendas, mejor para los dos. Escúchame. Quiero que sepas quién te habla, lo que se resume pronto: soy nieta e hija de esclavos. Mi abuelo nació en una hacienda de Santiago, en Cuba, llamada Los Juncos, y allí amontonó y esparció tanta mierda de caballo y otras jáquimas, para abonar los sembrados, que raro le parecía el brote de cosechas ufanas de cáñamo índico, tan cuajadito por dentro del sabroso azúcar, en vez de que salieran tronchos pestíferos como agua de albañal. Entre fragancias de azúcar y hedores de bostas dejó preñada a mi abuela, negra como quien te dirige la palabra, y le nació mi padre, tan esclavo como él, arriero de dedicación. No vivió mucho tiempo el pobre, pues lo asaltaron de camino a Guantánamo para robarle dos mulos jóvenes que el amo le encargase conducir y regatear en el mercado. Al fin vendió caros los jumentos, pues tiempo tuvo de herir de muerte a uno de los cuatreros, con su machete de acero español, antes de que un disparo de arcabuz lo dejase tieso. Temprano dejó este mundo, te decía, pero ocasión le dieron los cielos para engendrarme y llenar conmigo la barriga de mi madre y ponerme Esmeralda de nombre, llamarme muchas veces «mi linda niña, mi amor», pues era un hombre cariñoso, como todos los valientes, y también de dejarnos a mi madre y a mí muy bien vistas por el amo de la hacienda, gracias a su sacrificio. Cuando ahorcaron a los bandidos responsables de matar al negro y, lo que era mucho peor, el robo de los dos mulos, el amo en persona nos invitó a mi madre y a mí para que presenciásemos la ejecución. Yo no quise asistir a la ceremonia porque nunca me ha gustado ver cómo espicha la gente, pero de mi madre cuentan que, una vez colgados y oscilantes los cuerpos de los cuatreros, fue agarrando por las botas a cada uno, uno por uno, y tiraba hacia abajo y lloraba de rabia y venganza satisfecha solo a medias, pues a ver quién era el santo que le resucitaba al marido. También el amo mostró su gratitud hacia nosotras dando cabaña espaciosa a mi madre, con letrina fuera, no cavada a hoyo en mitad de la estancia, como era costumbre. Y a mí me compensaba dándome pellizcos en las mejillas, mientras fui niña, los cuales trocó por pellizcos en las nalgas y los pezones cuando me hice mujer. Esa es otra de las verdades de mi vida, Augusto: he nacido para gustar a los hombres.

—Eres hermosa y tentadora de hechuras —no lo niego—, la interrumpió un instante el Primer Magistrado.

—Aquellas confianzas y toqueteos fueron pronto advertidos por el ama de la hacienda, es decir, el ama del amo, y no le hicieron ninguna gracia. Le recriminaba: «No es propio ni digno de un estanciero tomar esas licencias con una negra»; a lo que él contestaba: «Mujer, si es una niña» y ella: «Un carajo es una niña... Dentro de poco querrás subirte encima y cabalgarla a tus anchas». El hacendado no tuvo mejor excusa que alegar: «Todo sería en honra y agradecido homenaje a su leal padre, un mártir de Los Juncos». La señora ama enrojecía de ira: «Él un mártir, ella una puta, y tú, un cabronazo». Y no se habló más, ni falta que hizo.

»Al poco me vendieron a un tratante paramaribano que tenía tratos con navieros de Lisboa en Salvador de Bahía. Allí fui comprada por un funcionario colonial con plaza en Pernambuco. Como el hombre era afeminado y su mujer más fea que pecar de envidia, no tuve mayores problemas hasta que el gobierno portugués citó de retorno al nuevo amo para someterlo a juicio de residencia, cosa habitual en aquellos tiempos. La familia al completo, con bienes, enseres, esclavos y dos hijos que tenían, medio lelo uno, el otro medio maricón, igual que su padre, se trasladaron con muchas fatigas y demasiadas jornadas de marcha hasta Salvador de Bahía, siendo la causa principal de tanto retraso la manía del ama de detener cada treinta y siete minutos la comitiva, apartarse a un lado del camino y orinar a cubierto de las matas. En una de aquellas estuvo a punto de ser mordida por una cascabela errante, aunque se salvó en el último momento y corrió dando gritos de espanto hacia el cortejo, con las sayas y enaguas a medio componer. Todos lamentamos mucho el incidente, sobre todo que la cascabela no lograse su propósito de hincar dientes en la cachufa de la dama. Lo que se empieza, hay que terminarlo.

»Total, Augusto, que ya en Salvador de Bahía, y como mis amos no eran boyantes para mantener, alojar, alimentar y vestir con decoro a más de dos esclavos en Lisboa, me vendieron al contador de la corona en cuya compañía viajé a Isla de Lobos. Mejor dicho, viajé con él hasta media singladura entre las costas del Brasil y nuestra isla, pues no sé si sabrás, y si no lo sabes te lo cuento ahora mismo, que el fedatario de cuentas y llevador de libros se colgó del cuello, en el mismo barco que nos transportaba. Sus restos acabaron en el fondo del océano, con todas las ritualidades que para esta clase de percances observan los marinos de bien. Fue el capitán de aquel navío mercante quien me dejó en Isla de Lobos, libre del todo, dueña de mi vida y enteramente preñada del contador portugués. Ya te dije antes que nací para gustar a los hombres.

—¿Por qué se suicidó aquel imbécil? —preguntó don Augusto Rivero, verdaderamente intrigado.

—No se sabe a ciencia cierta. Unos dicen que por la vergüenza de llegar a Lisboa con una esclava negra encinta de él. Como el viaje iba a durar poco más de nueve meses, las cuentas eran y son cabales: si la negra arribaba con panza rellena, señal sin réplica de que la habían calzado a bordo. ¿Y quién sino mi amo iba a atreverse? Acaso tuviera otros motivos, no sé. Lo cierto fue que cuando el capitán del Circe, que así se llamaba el barco, comunicó al amo que haríamos escala en Isla de Lobos, un fondeo inevitable porque necesitaba el buque proveerse de agua y provisiones si no queríamos padecer y morir de hambres marinas y sed salada, que es la peor de todas, se turbó tanto el portugués que no tardó ni día y medio en ejecutar la sentencia de muerte que había dictado contra sí mismo. Y en resumen esa es la historia, Augusto Rivero. Cuando nació mi hija, Albabella, la que ahora vive en un covachón de Playa Grande, entregada al océano y sus vientos y dedicada al pastoreo de lobos marinos y al sireneo por cuenta propia, entré al servicio del naviero viejo y su mujer puta redimida, la que acabó por estrangularlo y fue descubierta y ajusticiada por los vecinos y vecindonas del puerto. Seguro que recuerdas ese incidente. Sucedió hace poco.

—Claro que me acuerdo —intervino el Primer Magistrado—. Menudo berrinche tuve, y con qué dura justicia hube de responder al linchamiento...

—No estaba mal con ellos, ni me costaría entrar al servicio de cualquier otra familia mejor llevada —continuó Esmeralda—. Pero tengo otras aspiraciones en la vida.

—¿Y porque tengas aspiraciones, he de ser yo tu amante? —objetó don Augusto Rivero, casi burlón.

—No por mí —declaró Esmeralda—, sino por ti. Te conozco, Augusto. Quieres ser grande como el nombre de bautismo que llevas. Un hombre grande entre los más grandes, célebre por sus hechos y palabras, incluso por sus silencios. Quieres ser grande en poder, justicia y magnanimidad. Y en sabiduría. Quieres ser un héroe y, si no fuese porque te intuyo anticlerical como todos los marinos, quisieras ser un santo. Quieres ser leyenda y caudal de leyendas, que dentro de mil años las comadres relaten tus hazañas y los niños teman tu nombre en la noche y de día jueguen con espadas de palo a ser como tú.

»Deseaste Isla de Lobos porque sabes que nunca nadie, jamás en la vida, vendrá a disputarte el dominio de la isla. Te has nombrado Ministro Único y Primer Magistrado, lo que es igual a decirte virrey, pero tal cual podrías haberte uncido la corona y ser rey de esta parte del océano, o emperador de la mar y la tierra en el sur atlántico. El poder es tuyo; y el tiempo de tu poder, también lo sabes, inagotable. Mientras Isla de Lobos exista y no te ahogues en el mar, te acuchillen insurrectos o te devoren barracudas, la majestad será tuya. Lo sabes igual que yo, y por eso somos aún más iguales: a Isla de Lobos se llega, pero de la isla no se sale. Tienes tu reino y todos los siglos que quieras para gobernarlo y hacer tu voluntad, y convertir tu nombre en cantar de fábula, una saga que estremezca y emocione a cuantos la escuchen en cualquier viejo ancladero, en las tabernas donde se embriagan los hombres de equipaje y en la noche a retiro del hogar, en las naves de esqueleto antiguo que crujen sobre las aguas y avanzan pesadas como bueyes sobre el fango... Tu nombre será eterno, de eso estoy segura. Pero te falta algo, Augusto Rivero.

Refunfuñó el Primer Magistrado, sintiéndose en descubierta, traspasado por la verdad de la negra y la mirada como un faro en la noche de aquella maldita Esmeralda, quien había leído las páginas escondidas en la cripta más lóbrega de su corazón.

—Me falta... Me falta... ¿Qué sabes tú de mí? ¿Qué sabes si me falta algo, y qué me falta? Tonterías. Soy dueño de Isla de Lobos y no necesito más. Sé que nunca voy a salir de estos confines, cierto. Pero te lo repito: no necesito nada más.

—Te equivocas. Aunque no... No te equivocas —sonreía Esmeralda—. Mientes.

—Está bien, negra del diablo —aceptó el reto el Ministro Único—. Dime, tú que tanto sabes, dime, ¿qué carajo me falta?

—La mujer que engendre tu estirpe.

Quedó unos momentos perplejo, apabullado por la evidencia, don Augusto Rivero.

—Un héroe, un hombre de leyenda, no es nada sin haber esparcido generosa su simiente en este mundo, dejando tras de sí un apellido glorioso para que una caterva de malasesados lo dilapiden, cosa triste; y lo conserven por muchísimas generaciones, cosa de gran utilidad.

—¿Y tú vas a ser esa mujer? —preguntó don Augusto Rivero con más curiosidad que escepticismo.

—Claro que sí. Un rey sin corona, un conquistador como tú, necesita a su lado una hembra valiente y plantada en el mundo como el espíritu del nopal, que en todas partes enclava y en cualquier sitio saca espinas. Una hembra que todos envidien y a la que ninguno se atreva a acercarse, por miedo fundado a perder la cabeza, ya sea en desquicio de amores, ya literalmente, por justicia del hombre a quien esa mujer se debe. Una hembra de piel suave como los besos, de caderas como una cuna para yacer y gemir de placeres con su hombre, también para parir hijos muy sanos. Si encuentras alguna en Isla de Lobos que se me parezca de lejos, entonces me desdigo de cuanto he dicho y allano mi petición.

Ya desarmado, balbucía don Augusto Rivero:

—Pero... no querrás que nos casemos, ¿verdad?

—Al infierno con eso. ¿Qué rey ni virrey señor de mar y tierra necesita ir a la iglesia y que un sacerdote le eche bendiciones para tener descendencia y ponerle sus apellidos?

—Sí —admitió un tanto contristado, derrotado, don Augusto Rivero—. Qué señor de Isla de Lobos necesitaría tantas formalidades, qué rey ni qué reina. Ni yo ni tú, desde luego.

Al día siguiente, don Augusto Rivero llamó al carpintero germano y le dio nuevas instrucciones sobre las obras de la residencia virreinal. Debía ampliarlas, trazar los planos y ejecutar los trabajos necesarios para construir un ala nueva, en el trazado oriental del magno edificio, con cuatro dependencias grandes para su ocupante, con sala de baños y letrinario, y otras cuatro estancias para su servidumbre.

—¿Les ponemos también letrinas? —preguntó el artífice tudesco.

—No. Esos, que vayan a cagar al campo, como todo hijo de vecino.

—¿Y puede saberse para quién son esas espléndidas habitaciones? ¿Quién va a ocuparlas?

—Ya te enterarás, chismoso. De momento, cumple con lo tuyo. Ya te enterarás —respondió nostálgico y tranquilo, a punto del gozo, el Ministro Único y Primer Magistrado de Isla de Lobos.

— VII —
MANUEL TORGA

Pasados nueve días desde que el náufrago se extraviase y desvaneciera en las sendas del acantilado, tras su encuentro con Albabella en Playa Grande, episodio que guardaba en secreto y no pensaba contar a nadie, Ramiro lo vio dispuesto para la caminata desde Cabo Jurado hasta la iglesia de san Atila, y más después, como estaba previsto y mandado por doña Aguas Santas Rivero, dirigirse al palacio virreinal. El náufrago, en verdad muy repuesto de sus debilidades, no puso objeciones a la excursión. De este modo, ambos emprendieron camino, con paso lento para no tentar a la fatiga, en cuanto el sol despuntaba sobre los horizontes, despejando sombras en torno al faro que llevaba sin lucir desde tiempos en que algunos barcos de calado aún llevaban galeotes.

Sobre la hora séptima, que no es de Dios ni del diablo porque la gente despereza y se quita las legañas y aún no ha decidido si va a pecar o a hacer virtudes, llegaron a la iglesia. El presbítero, don Manuel de Garceses, acababa de decir misa para las cinco beatas de abono que nunca faltaban a la transustanciación del pan y el vino, a pie de sagrario aunque llovieran cenizas o cayesen aguaceros y vientos poderosos como aquellos del Año que Casi Voló la Isla. Satisfecha la sed y saciada de momento el hambre espiritual de la parroquia, oraba don Manuel de Garceses en una esquinita del altar, ante una cruz de madera sin imagen del Redentor, pues nunca hubo en la isla artesano de tallas tan esmeradas. No faltaba al venerado objeto de suplicio, sin embargo, su preceptivo cartel en la cúspide, al extremo del palo mayor, con su inscripción no ortodoxa aunque sí oportuna, pensaba el presbítero, pues en lugar del consabido INRI, allá rezaba el lema BEDARCIL. Muy pocos conocían el significado del acrónimo, y el mismo don Manuel de Garceses mantenía a medias el secreto, por pudor y escrúpulos de doctrina, ya que el cabal sentido de las misteriosas siglas era: *Benedicat Deus Augustus Rivero Curator Insula Lupi.*

«Qué le vamos a hacer... Resignación», se consolaba el sacerdote cada vez que alzaba la vista y topaba con el famoso BEDARCIL: servidumbres de los tiempos, imponderables, raridades de Isla de Lobos. Don Augusto Rivero había financiado al completo la restauración de una iglesia que se caía a trozos como un portal de Belén hecho con miga de pan, e incluso había permitido que el templo continuase bajo la advocación de san Atila, propagandista de la fe en la pagana Timisoara, donde padeció martirio; en vez de imponer sus buenas ganas de renombrar el santo sitio como Iglesia Mayor de Santa Nunilona, al parecer patrona del pueblacho continental donde naciera el Primer Magistrado, en épocas tan pasadas como la moda de limar los dientes a los perros de caza para evitar destrozos mayores en capturas a campo abierto. En resumen, que la iglesia de san Atila, a Dios gracias, con san Atila se quedó, y recuperó su prestancia de cal y ladrillos y oronda piedra volcánica, aunque don Manuel de Garceses no pudo librarse, ni de buenas ni de malas, de aquel indiscreto BEDARCIL que tanto turbaba su conciencia en ocasiones. Fuera lo uno por lo otro, volvía a consolarse, acatando el piadoso aserto latino: *Ora et humilia.*

Se alzó todo contento el presbítero en cuando vio entrar en la iglesia a Ramiro, en compañía del náufrago. Aún vestía ropas talares, las que levemente arremangó para aligerar el paso e ir al encuentro de los recién llegados.

—Ramiro, hijo mío... Cuánto tiempo sin verte por aquí.

Bendijo al farero. Ramiro agachó la cabeza y se santiguó en dos agilísimos cruzamientos del aire con el pulgar extendido, formando cruz sobre el índice corvado.

—Y tú, muchacho, sin duda eres el surgido del mar. El náufrago.

—Así es, padre —asintió el llamado náufrago, muy respetuoso.

—Bendito tú, afortunado tú, dichoso tú que fuiste rescatado de las aguas como al patriarca Moisés lo sacaran del gran Nilo, renacido de ellas igual que de Jesucristo fue dada a conocer su divinidad por el mismo Dios Padre, nada más zambullirlo y deszambullirlo el santo Bautista en el Jordán. Aunque el ejemplo sea un poco exagerado, en fin, la emoción me desata la lengua, tanto que, incluso, tengo efusión para acordarme del aciago artúrico Mordred, pequeño abandonado a la tempestad y salvo de ella por un buen hombre de la costa, quien lo entibió y llevó a su mujer para que lo amamantase, anécdota esta que, definitivamente, no viene a cuento.

Interrumpió Ramiro la perora del sacerdote antes de que acabara de emparentar al náufrago con Odiseo en la isla de Calipso, con Álvar Núñez en Aguas Claras, con Próspero en *La Tempestad*, con el gongoriano que llegó exhausto a la rompiente cuando era del año la estación florida y, de haber sido ya redactados sus infortunios en aquel tiempo, cosa que ignoramos y que no nos interesa aprender para esta ocasión, con el mismísimo Robinson Crusoe en la desembocadura del Orinoco.

—Hemos venido para que bautice su paternidad, como Dios manda, a este pobre errante de las aguas.

Señaló al náufrago, quien había compuesto un ademán de extrañeza en cuanto escuchó el calificativo «errante» en labios del farero.

—Lo sé... Lo sé —no amainaba el presbítero en su entusiasmo. Me lo tiene advertido doña Aguas Santas Rivero, por mensaje que envió hace varios días, siendo el mensajero una persona para mí desagradable, el tal Sanaperros, ese bribón engañabobos. Pero bueno, dejemos ese asunto a un lado. La señora, que es como es, Dios me perdone lo que voy a decir, pero de armas tomar es la señora, no admite ni consiente bajo ninguna circunstancia que entren en su mansión gentes paganas, de religión distinta a la católica y mucho menos sin bautizar. De modo que, hijo mío...

Lanzó una mirada de ánimo y compasión al náufrago, como cirujano que notificase la inevitable extracción de una muela.

—Vamos a ello. Cuanto antes se proceda más beneficio para todos.

—Una pregunta he de hacerle antes, don Manuel —alegó el náufrago.

—Te escucho, hijo mío.

—Como bien sabe usted, porque bien le han informado, no recuerdo apenas nada de mi vida anterior al rescate en Isla de Lobos. Sin embargo, he aquí la duda: ¿Y si ya fuese cristiano, apostólico y romano, convenientemente inmerso en las aguas del bautismo? ¿Nuestro proceder no ofendería a Dios, por manifiesta falta de fe y desprecio de un sacramento ya administrado y cabalmente recibido?

Ramiro, impaciente y algo confuso por las prevenciones del náufrago, se anticipó a la respuesta del presbítero:

—¡Oh, vamos, eso ya lo tenemos más que hablado! Doña

Aguas Santas Rivero manda que te bautices y no hay más que hablar. ¿A qué vienen esas aprensiones? Ella lo ordena y tú obedeces, y quien obedece de buena fe y sin ofender a Dios, no peca. Eso lo saben hasta los mahometanos.

—Tiene razón nuestro amigo el contador de olas —añadió don Manuel de Garceses—. Por otra parte, hijo mío, considera que reincidir en el sacramento del bautismo no puede entenderse nunca como falta a los mandamientos de Dios. Por el contrario, tan importante es la recepción en nuestra fe única verdadera, que la madre iglesia tiene dispuesto e imparte con generosidad otro sacramento, el de la confirmación, que es como un segundo bautismo para quienes, ya en pleno uso de razón, insisten en su voluntad de pertenencia al rebaño de Cristo.

—Eso lo sabía —admitió el náufrago, un tanto desconcertado por el recuerdo de aquel detalle litúrgico.

—A ver si resulta que, finalmente, no eres geógrafo ni escribano, ni poeta —se chanceaba Ramiro—, sino cura sin parroquia y a toda prisa huido a los mares, a saber por qué razones...

—No blasfemes ni te rías del oficio clerical, Ramiro.

Moderó enseguida sus ganas de broma el farero.

—Perdone su paternidad mi ligereza, es que me llegó la idea y corrió demasiado pronto de las mientes a la lengua.

—*Ego te absolvo.*

Insistía el náufrago, sin embargo:

—Entonces, padre, ¿está usted seguro de que ser bautizado dos veces, aunque la primera se tenga en desmemoria, no constituye ofensa alguna al Altísimo?

—¡Carajo que eres pesado! —clamó Ramiro—. ¡Piénsalo, berzotas! ¡Nadie recuerda el día ni el momento en que fue bautizado!

Don Manuel de Garceses se volvió hacia el farero. Subió

hasta el codo las anchas bocamangas del alba. En voz baja pero firme como los sillares de su iglesia, sentenció:

—Como vuelvas a proferir expresiones soeces en la casa de Dios, con estas mismas manos que sirven para tomar la sagrada hostia, ya sabes las que te pienso arrear hasta cansarme, desgraciado. Arrepiéntete enseguida o, por el mismo Dios que ahora mismo nos contempla, la tenemos tú y yo sonada.

—Me arrepiento, don Manuel. Me arrepiento y pido mil perdones —se excusaba nuevamente Ramiro—. Pero, por el amor de Dios, ¿sería posible que abreviásemos estos protocolos y debates sin sentido, y que bautizase usted al náufrago, y aquí paz y después gloria?

—Qué ignorante eres, pobre Ramiro —se apaciguó el presbítero—. Y esa misma zafiedad te salva de la malicia, creo. Vuelvo a perdonarte. Pero has de saber una cosa, alma de Dios: no puedo bautizar a este muchacho si en su conciencia persisten reparos mayores al sacramento.

—No son mayores, me parece —intervino el náufrago—. Ni siquiera son reparos. Yo preguntaba más bien por curiosidad.

—Pues mejor que mejor —sentenció el presbítero de san Atila—. Si la aparente desgana era simple curiosidad, por satisfacerla te diré que en las colonias de España siempre ha sido costumbre bautizar a los esclavos negros, recién traídos del África, hasta tres y cuatro veces. La primera, como es lógico, nada más ser capturados en su salvaje lugar de procedencia; la segunda en destino y en ceremonia pública, para que todos presencien y sean testigos de cómo aquellos infelices reciben la gracia de la fe; la tercera, por lo general, se hace en privado, cuando el esclavo legítimamente vendido tiene su dueño como debe ser, ceremonia muy útil en caso de que la conversión del neófito no hubiese sido del todo sincera, sino más bien forzada por las circunstancias. Incluso ha habido amos, en extremo escrupulosos, que mandaban repetir el sacramento y asperjar nuevamente a los negros cuya cabellera fuese muy rizada y crespa, por si las aguas del bautismo no hubieran llegado hasta el cuero cabelludo, como corresponde, quedando sus almas tan en pecado original como al principio. O sea, que tus reparos son tontería, ñoñeces, comparados con la tenacidad en la doctrina que abundaba, y quizás abunde todavía, en muchas partes del imperio.

Ramiro contenía su impaciencia y malagrado en aquella reunión que, para su gusto, estaba excediéndose mucho más de lo necesario. Atemperó la voz, no obstante, para dirigirse al sacerdote.

—Gracias damos a su paternidad, este pobre náufrago y yo mismo, por tanta ilustración sobre un asunto de esta importancia. Pero digo yo, don Manuel, y lo digo con todo respeto y todísima humildad: ¿Procederemos de una vez?

—Cuando él diga —respondió el sacerdote al tiempo que señalaba al náufrago.

Agachó la cabeza y humilló la mirada el rescatado en Playa Grande.

—Dispuesto me tiene, don Manuel.

—Excelente. Dime entonces, hijo mío: ¿Con qué nombre quieres ser bautizado?

No pensó el náufrago mucho su réplica, pues la traía ya bien pensada desde que por la mañana abandonase, en compañía de Ramiro, las lardosas habitaciones del farero para dirigirse a la iglesia.

—Manuel. Así quiero acristianarme. Manuel.

Sonrió el presbítero.

—Como yo. Como el buen Jesús. Magnífica elección, hijo mío.

—Manuel Torga, si puede ser —añadió el náufrago.

—¿Y eso?

—Tengo soñado el nombre. Manuel Torga. Lo más seguro es que fuese el mío propio antes de naufragar.

—Sueños, visiones, adivinaciones... No me gusta —opuso el sacerdote—. Suena a nigromancia.

—No empecemos, por lo que más quieran sus mercedes —suplicó Ramiro.

—He dicho que no me gusta, no que me niegue —lo tranquilizó don Manuel de Garceses—. En verdad no hay motivos graves para que un buen cristiano renuncie a llamarse Manuel Torga. No es Torga santo de mi devoción, ni siquiera me hablaron o he leído sobre él, y a lo mejor ni ha existido. Pero Manuel, que es lo que importa, me parece intachable. Puede hacerse.

—Pues a ello, sin dudarlo más —propuso Ramiro.

—Visto en un momento las ropas adecuadas a la liturgia y, en efecto, procederemos al bautismo de Manuel Torga. Regreso al instante. —Organizaba el presbítero la ceremonia—. Id rezando los dos, sobre todo tú, Ramiro, que sirves de testigo y padrino. Ve pidiendo perdón al Altísimo por las dos o tres burradas que han salido de tu boca hace un momento.

—Como su paternidad disponga.

Diligente y con pasos seguros, propios de quien conoce el terreno que pisa como el largo de sus uñas, se dirigió don Manuel de Garceses a la sacristía, donde trocaría la estola de consagrar por la de bautizar, más sencilla y más sincera; se desprendería de la casulla y quedaría en simple alba, como es de uso en sacerdotes dispuestos al primer sacramento. De regreso, bautizaría al famoso náufrago. Entre él y Dios sellarían su nombre indeleble cristiano.

«Conocer la doctrina, conoce», pensaba el presbítero camino de la sacristía. «Y argumentar, argumenta. Y sabe también callar y mantenerse sumiso», recelaba don Manuel de Garceses. «A ver si el bambarrias de Ramiro va a estar en lo cierto y resulta que el náufrago, próximo Manuel Torga, es en verdad sacerdote, el muy cabrón...», temía el párroco de san Atila.

En la Sala de Riñas y Tumultos, instalada en su poltrona del Ordeno porque Mando, un solemne butacón de maderas guyanesas desde el que había dictado innumerables sentencias, acomodada su ancianidad vigorosa entre almohadones de lino rellenos con esponja y plumaje de pichonas cenicientas, doña Aguas Santas Rivero dio venia a Ramiro para explicarse, después de que éste le entregara el acta de bautismo del náufrago, con la firma de don Manuel de Garceses y los sellos presbiteriales de san Atila autorizando el documento solemne.

—Manuel Torga es el nombre que eligió nuestro acogido para entrar de pleno derecho en la fe cristiana.

Junto al farero, callaba algo azorado el reciente Manuel Torga, de profesión náufrago, que se supiera.

A la derecha de doña Aguas Santas Rivero, paso y medio por delante como mandaba el protocolo, callaba más todavía el polaco Jaruzelski. Era el tal custodio un hombre de dimensiones exageradas, alto como dos Ramiros, ancho como cuatro náufragos, de brazos como muslos, muslos como mascarones de navío de línea, y manos y pies proporcionados a aquella exuberancia anatómica. Para fabricar el par de botas que siempre calzaba, hicieron falta los cueros de dos lobos marinos, uno para cada pie. Si hubiera decidido usar guantes de faena, otros dos desventurados habrían ido al sacrificio. Las facciones eran más recogidas, aunque sus ojos como botones de piedra adularia, la boca de labios finos y las orejas pequeñas, eran un clamor de exigüidad en lo inmenso del rostro y lo monumental de su cabeza, la cual, a mayor aparato, llevaba rapada al milímetro. Para concluir aquella imagen de coloso de Rodas caído en Isla de Lobos por quién sabía qué albures del destino, sostenía en la manaza izquierda un garrote libanés, con nudos como escamas de pez remo gigante. Y apoyaba el extremo más ancho del temible báculo en el suelo de baldosas repulidas.

Ramiro, siempre que veía al polaco, pensaba que de haberse tocado con festón y cubierto sus espaldares con manto de armiño en vez de vestir toscas telas cosidas con hilo de pitera y, ende, llevar la cabeza monda como bala de mortero, habría sido la viva estampa, ampliada diez mil veces, del rey de bastos que reina en la baraja española.

—Manuel Torga… —susurró doña Aguas Santas Rivero, no muy convencida—. ¿De dónde sacaste el nombre?

—Soñó con él, señora ama mía —contestó Ramiro.

—No te he preguntado a ti, sino al náufrago —le recriminó enseguida la Ministra Única de Isla de Lobos.

Los ojos azules del polaco Jaruzelski se clavaron en el vigilante de la costa como uñas de gato en la cola de una lagartija.

Como no se decidiera el náufrago a responder, demasiado cohibido ante doña Aguas Santas Rivero, aún se atrevió Ramiro a azuzarle, dándole con el codo y diciendo por lo bajo:

—Habla, pasmado, que la señora espera tu respuesta.

Despegó al fin los labios el náufrago.

—Soñé con ese nombre, señora doña Aguas Santas.

—Eso ya lo sé, me lo acaba de decir tu salvador. ¿Y qué más?

—Nada más.

—¿No has recordado todavía quién eres, ni de dónde vienes, ni a qué te dedicabas antes de naufragar y venir a nuestra isla para causar estos desasosiegos?

—Lo siento, señora —se excusaba el rescatado de las aguas.

—¿Qué demonios sientes?

—Las complicaciones que haya podido ocasionar.

—¡Bobadas! —clamó la Primera Magistrada—. Ni lo sientes ni te importa un higo pico. Además, no hablábamos de tus sentimientos, los cuales, a la recíproca, me importan lo mismo que el color de pelo de Jaruzelski. Te preguntaba, berzotas, si has conseguido recordar algo sobre ti, tu vida, tus pasadas épocas.

—No, señora.

No tuvo el náufrago ningún remordimiento ni sensación perjura por ocultar lo que Albabella le había contado sobre su persona y orígenes. Doña Aguas Santas Rivero le preguntaba por cuanto era capaz de recordar, y sobre eso estaba seguro: nada.

—Bien, aunque bien mal —reflexionaba la señora y ama de Isla de Lobos—. Un hombre sin pasado es algo aceptable, pero uno sin memoria es dilema de más importancia. ¿Quién me asegura que mañana, o pasado mañana, no recuerdes de golpe que tus mandantes son los franceses de La Párouse, y que te enviaron a Isla de Lobos para, pongamos de ejemplo, asesinarme y tomar venganza por la expulsión de estos lugares, su condena al mar por parte de mi difunto Augusto? El curandero santero Sanaperros vaticinó algo parecido, y yo, a ese idiota, según en qué asuntos, le tengo mucha fe.

—Eso es imposible, señora ama mía —objetó Ramiro con urgencia.

—¿Qué sabes tú lo que es posible o imposible, ignorante? Y no vuelvas a mediar por el náufrago con alegatos necios, ni se te ocurra pensar por él y hablar por él, o te declaro cómplice además de conspirador. Deja que se exprese y él mismo se defienda. ¿Lo entiendes?

Humilló la mirada y dobló el espaldar todo lo que pudo el contador de olas.

—Ruego a la señora que me perdone.

—Menos ruegos y más atender el procedimiento.

Se dirigió al polaco, destemplada y dominante como era su costumbre, doña Aguas Santas Rivero:

—Si vuelve a pronunciar una sílaba, pártele los lomos.

Asintió Jaruzelski con forzado gesto, un entornar la mirada y apretar los labios que apenas descompuso su expresión despiadada de estatua con mal hechizo en medio del desierto.

—Y tú, responde de una vez —apremió doña Aguas Santas Rivero al náufrago.

—Yo, señora... Yo digo lo mismo que mi salvador Ramiro —alegaba por sí y temía por su vida Manuel Torga—. Imposible me parece que haya venido a esta isla de mi redención con propósito ninguno, ni bueno ni malo, pues quien me trajo fue el capricho de olas y mareas, los vientos y las resacas. De lo que fuese mi vida con anterioridad, nada puedo referirle, pero de una cosa estoy seguro: no debía yo de ser persona de índole retorcida, pues las primeras emociones que acudieron a mi conciencia, en cuanto recuperé el aliento y el juicio, fueron de agradecimiento al Altísimo Misericordioso por haberme guardado de morir en el océano, también de gratitud hacia Ramiro, mi buen salvador. Y en cuanto oí hablar de la señora y su imperio en Isla de Lobos, como es natural sentí inmenso cariño por quien me acogía en este rincón del mundo, a resguardo del mar y de todos los peligros que viajan espumados sobre las olas y corren de aquí para allá, dispersos entre los vientos que campan a sus anchas y malhieren con todas sus ganas y a toda discreción.

Sucedió entonces algo inesperado que, sin duda, cambió los sesgos, alcance y pretensión de cuanto se dilucidaba en aquella asamblea.

—¿Lo habéis sentido? —preguntó doña Aguas Santas Rivero.

Nada más acabar el náufrago su discurso, un temblor efímero y poderoso hizo crujir el palacio virreinal desde sus cimientos a la veleta que remataba la última pared de la azotea. Fue como si el mundo, en brevísimo momento, se hubiera detenido para encabestrar algún hueso dislocado. Fue un parpadeo, un golpe de universo rotundo contra el leve latido de un instante. Llegó y se fue en menos de lo que tarda el temor en acudir al ánimo de los vivos. Prosiguió de inmediato la esfera terrenal con sus giros y cabriolas de costumbre, por exactitud misteriosa de la mecánica celeste.

—¿Lo habéis sentido? —insistió La Ministra Única.

Movió la cabeza Ramiro, en señal de asentimiento. Hizo lo propio el polaco Jaruzelski. El náufrago dijo:

—Un terremoto, sin duda. Uno de tantos como debe de haber en esta isla que vive bajo las sístoles y diástoles de un volcán, por voluntad de Dios y designio de su providencia.

Lo miró doña Aguas Santas Rivero, un tanto recelosa.

—Me advirtieron que, quizás, fueses geógrafo de oficio. ¿Lo eres? ¿Por qué sabes de volcanes, y de lo que tenga el Altísimo dispuesto en su providencia respecto a Isla de Lobos?

—Señora, nada sé. Solo deduzco —volvía a declarar el náufrago en propio favor.

—¿Deduces? ¿Eres uno de esos malditos racionalistas, acaso?

Decidió el náufrago que lo mejor para él, dadas las circunstancias, considerando el brillo como rojizo belicoso que afloraba en el visaje de la señora, era hacerse el tonto.

—Ignoro qué cosa sea lo que mi señora acaba de nombrar, ser un racionalista o como quiera que se llame tal vicio.

Doña Aguas Santas Rivero hizo señal al náufrago para que callase. Mandó callar a todos. Permanecieron los reunidos en silencio, como si aguardaran el eco del seísmo fugaz, una repetición que habría confirmado los temores de doña Aguas Santas Rivero: la presencia del náufrago en Isla de Lobos, en su misma casa, no traía buen augurio. Antes al contrario, todo fueron premoniciones y rebatos de inquietud desde que llegó con las uñas clavadas al mástil de un barco hundido.

Pasaron unos momentos, luego un buen rato. Luego y más luego, casi una hora. En el patio posterior de la casona, cerca del almacén, las corraleras y las habitaciones que seguía ocupando el ama Esmeralda, sonó clueca una gallina, señal inconfundible de que estaba en el trajín de poner un huevo y, por tanto, aviso inapelable de que era mediodía, pues las gallinas a cuido de la negra Esmeralda siempre ovaban cuando el sol iba por lo más alto, fuese jornada tranquila o de agitación telúrica.

—Se hace tarde —dijo doña Aguas Santas Rivero—. Es hora de echar la siesta.

Por un momento, pareció a Ramiro y al náufrago que refunfuñaba el polaco Jaruzelski. Sin duda le llamaban las tripas vacías más que el dormir, y esa era su congoja y su castigo. Ella, ama y dueña de Isla de Lobos, solo comía una vez cada veinticuatro horas, de amanecida; tomaba un tazón de leche endulzado con miel y cuatro bocados de galleta cocida con limón y canela. Esa frugalidad resolvía su mantenencia y, posiblemente, guardaba sus años muy longevos. El polaco Jaruzelski sufría el desapego de su dueña por la mesa como un mártir sin fe. Siempre estaba deseando que fuese a dormir doña Aguas Santas Rivero para bajar a las cocinas y llenarse la panza con sólidos y líquidos. Triste sino, sin duda, el de un gigantón que acompaña día y noche a una anciana que apenas se alimenta y, lo peor, apenas duerme. Aunque esta última reflexión la apreciará cada cual según sus convencimientos y opiniones sobre la virtud de la templanza.

—Manuel Torga, dijiste. ¿Es así? —interrogaba al náufrago, de nuevo, la señora.

—En efecto. Lo soñé.

—Sí, sí, lo soñaste. No hace falta que insistas. Lo soñaste. El náufrago creyó distinguir el asomo de una sonrisa en el semblante de ella. Una sonrisa que no lo tranquilizaba.

—Aquí, en Isla de Lobos, en mi casa y en todas partes, por muy bautizado que estés, no tienes derecho a llamarte Manuel, ni Torga, ni mucho menos Manuel Torga. Nada de eso. Aquí, todavía no tienes nombre. Para entrar en mi casa es obligatorio el bautismo, mas para ser habitante de Isla de Lobos son necesarios otros méritos. Eres «el náufrago» hasta que no demuestres lo contrario. ¿Lo comprendes?

—Sí, señora. Dígame qué he hacer, y mande lo que considere bueno para su señoría, que seguro lo es también para mí.

—Te condeno ahora mismo preso de tus palabras —sonreía ya abiertamente doña Aguas Santas Rivero—. ¿Quieres ganarte el derecho a un nombre de verdad? ¿Quieres ser Manuel Torga en vez de «el náufrago»?

—Sí, señora.

—Pues escucha entonces.

Temió el náufrago, negado Manuel Torga. Ramiro el farero igualmente tembló por él.

—Hace un rato, hemos percibido los presentes, igual que todos los habitantes de la isla, a excepción de los que anden embriagados o durmiendo la borrachera, cómo se zarandeaba el mundo bajo nuestros pies. Ha sido el Volcán, claro está.

—Sin duda —afirmó el náufrago, bastante temerario.

—Voy a hablarte de ese volcán al que en Isla de Lobos llamamos «el Volcán». Voy a contarte unos cuantos detalles sobre sus malditas costumbres. ¿Te parece bien?

—Desde luego, señora.

—Antes de ahondar en detalles, ¿quieres hacer alguna pregunta?

No lo pensó el náufrago. La voz salió de su garganta como un rayo de sol atraviesa un cristal, por limpio o sucio que esté, pues para el caso es lo mismo: lo atraviesa raudo, en menos de lo que tarda la vista en observar el fenómeno.

—Sí, señora. Hay una pregunta, si mi ama y señora no tiene objeción en responderla.

—Dime, náufrago.

—¿Por qué no hay niños en Isla de Lobos?

Tembló y retembló Ramiro. Jaruzelski apretó el puño sobre el mango de la estaca libanesa.

Doña Aguas Santas Rivero se echó a reír. Fue aquella una risa empapada de amargura, como si el estupor ante el descaro del náufrago hubiese transformado el disgusto de por dentro en mueca de orgullo espectral, piel afuera. Reía afligida como ulula un espíritu agotado, en lo más tenebroso del arcón donde los siglos duermen en cuna de tela de araña.

—Cada lugar en el mundo tiene sus honras y audacias, y también su penitencia —dijo la señora, ya amansado el sofoco risueño—. En Isla de Lobos gozamos el privilegio de que nadie viene nunca a molestar ni a discutir la posesión del dominio, pero nos asola el contratiempo de que aquí, si no tienes quien te quiera debes buscar a quien, al menos, te odie. Los solitarios solo sirven para caer en la mala ventura y la mala muerte de, por ejemplo, Secundino, el comerciante de libros. Cada uno de nosotros tiene su porqué, y extraviar ese norte, como parece tu caso, es peor que resbalar en los acantilados y caer al océano en noche de tempestad. Ni tú ni yo, ni quienes nos acompañan, ni los que ahora mismo pululan fuera de mi casa, llegaron a la isla por casualidad. No hay un Dios caprichoso que nos siembre a voleo en los surcos del infinito. Hay un Dios ahora presente, con el que hablas de continuo por medio del pensamiento, lo sepas o no, te guste o no. Y ese Dios hizo sus planes para Isla de Lobos, y al mínimo detalle los cumple. Dices que no hay niños. Insensato. Lo tuyo es ignorancia, menos mal, pues te libra de la presunción de estupidez. Sabe que dos criaturas, solo dos que se sepa, han nacido en Isla de Lobos desde que hay memoria sobre la existencia de este peñasco entre mares. Una soy yo. La otra, mi hermana Albabella. A lo mejor te han hablado de ella.

Miró un instante, inquisitiva, al farero Ramiro.

—Solo nosotras dos. Si las dos estamos aquí, es por algo. ¿Lo entiendes, desfachatado náufrago?

Asintió el requerido, serio como un notario certificando un testamento.

—Para que lo entiendas del todo, y yo lo comprenda, y todos lo sepan de una vez, es por lo que voy a encomendarte esos trabajos de mérito que antes refería. Cumplir ese mandato te dará naturaleza de habitante entre los nuestros. Ser uno más entre muchos de la isla. Estar solo en el mundo es difícil, pero vivir como alguien sin nombre, sin familia ni allegados en Isla de Lobos, es una desgracia grande entre las más grandes. Lo peor que se puede imaginar. De esa desdicha quiero redimirte, y por eso vuelvo a preguntarlo: ¿Lo entiendes ahora?

—Ahora ya no entiendo nada, señora.

Volvió a reír doña Aguas Santas Rivero. Al final, todos dejaron que la risa jugara entre sus labios y pusiera algunas lágrimas en algunos ojos tristes. También el náufrago, confundido e ignorante de por qué reían ellos, de por qué él reía, reía. Por dentro lloraba, como los demás presentes en la Sala de Riñas y Tumultos.

— VIII —
EN COMPAÑÍA DE LOBOS

—Los que dicen que saben, dicen también que el Volcán tiene su alma en el centro mismísimo del mundo, de todo lo que hay por debajo de la tierra y de las aguas, como una tabaiba amarga que tramase sus raíces hasta lo más hondo de lo hondo, y de la simiente mineral extrajera el tósigo oscuro que adormece a quienes tienen la necia idea de dormir cerca de su cumbre; eso dicen del Volcán, que del alma en los cimientos de la creación saca vapores de azufre y tufos de carbón, y emana éteres venenosos que no causan la muerte pero vuelven loco a quien respira esa miasma, la cual, no hace falta ser muy listo para suponerlo, se expande sin remedio por Isla de Lobos. Eso dicen.

Rezaba Esmeralda, como cada noche, acogida a la soledad sin temor ni ventura de sus antiguos aposentos en el palacio virreinal, insomne como casi siempre, un poco febriles sus cavilaciones. Del poco dormir y no hablar con nadie desde hacía mucho tiempo, le vino el pensar sin descanso de día y rezar de noche hasta agotarse; hasta que las luces templadas del amanecer le sugerían cerrar los ojos un rato, a veces hasta una hora seguida, aunque esto no ocurriera a diario sino más bien como excepción a la costumbre, que era de vigilia. Anciana como los barcos del rey español que llevaban en el fondo del mar desde que se inventaron los naufragios, vivida como los vientos y experta como las olas en arañar las luces y vuelos de cada día, más vieja que todos los viejos de Isla de Lobos que se reunieran para competirle en edad, había decidido no salir de sus habitaciones desde que don Augusto Rivero fue devorado por los lobos marinos, y dedicarse a sus recuerdos, sus oraciones y, según dijo, poner el alma en paz y bien limpia para cuando el Creador la llamase al otro mundo. Aquello sucedió cuando Aguas Santas tenía cuarenta años y era viuda recentísima. Sucedió cuando la negra Esmeralda aún creía en Dios. Ahora, pasado el tiempo en caudales inhumanos, ni creía en Dios ni en su propia mortalidad. Estaba convencida de que jamás saldría de Isla de Lobos, ni viva ni muerta, pensamiento que llevaba en callado y peor que mejor contenido desasosiego. Por eso pensaba y repensaba en los mil argumentos de su vida y los diez mil que podrían haber sido, y rezaba y dormía apenas. Solo recibía en aquellas habitaciones de su abandono, una vez al año, al presbítero de san Atila, don Manuel de Garceses, a quien participaba a medias sus dudas de fe y, por completo, su temor a no morirse nunca.

—Paciencia. Resignación. Si Dios no se ha acordado de usted, sus razones tiene. Ya le llegará el turno, como a todos. Rece usted, doña Esmeralda, y no pierda la esperanza, pues bien sabe que es pecado. Me refiero a perder la esperanza. Pecado de los gordos.

—Mal inventada está la senectud —se quejaba Esmeralda—. Solo puede cometerse un pecado, insulso y encima capital: olvidar la esperanza esa que tanto gusta a su eminencia.

—Paciencia. Resignación. Esperanza —insistía el sacerdote—. Fíjese en mí, que llevo en el cargo presbiteral de san Atila desde muchísimo antes de que usted llegase a Isla de Lobos, tan sana y tan joven y tan preñada de Albabella. Su edad es mucha, pero la mía no debe ir a la zaga. Yo, desde luego, he perdido la cuenta... Aunque sé que Dios bondadoso sigue echando cuentas de mí. Esperanza por tanto, fiel amiga. Y no despiste sus rezos de mañana, tarde y noche.

* * *

Mañana y tarde le daba al magín y repasaba los asuntos de Isla de Lobos, desde que se fabricó la isla hasta el presente. De noche rezaba Esmeralda, cierto. Hablaba con Dios y procuraba mantenerse en confianza con el ultramundo, que Él no notase que había dejado de creerle. Si acaso, se permitía una modesta dosis de orgullo: reprochar al Altísimo que tuviera a Isla de Lobos dejada de su mano. Quizás fuese aquel un pecado menos grave que la dichosa desesperanza.

—Esta misma mañana, en la Sala de Justicia que la muy bruta de mi hija renombró de Riñas y Tumultos, el náufrago ha preguntado por qué en Isla de Lobos no hay niños. Ese hombre me parece un necio, puede que estés de acuerdo conmigo. La observación no es desatinada, pero seguro que no se ha fijado en algo mucho más importante. Niños, no hay. Pero cementerio, tampoco. Aquí los muertos van al mar, cuando los hay, que es de pascuas a ramos, y todos están de acuerdo porque los difuntos claudicaron siempre por una de estas tres: percance, ajusticiados o suicidados. No ha habido ni uno solo... Si sabré de eso... Ni uno solo que haya fallecido en su casa y en su cama, como debe ser. Si la gente pereciese por enfermedad decente, seguro que más de cuatro familias habrían insistido en construir un camposanto donde venerar a sus difuntos. Pero como todos cierran la pestaña en circunstancias bizarras, los arrojan al océano, y cuanto antes se olvide el asunto, mejor. ¿Tú crees que eso es normal? Dios de mi alma, ¿no te parece un sindiós? Y así, claro, sin niños ni cementerio, qué erial es este, qué dominio de engaños y trapisondas en mitad de los océanos, qué airazos de oriente y de poniente no han de aventarnos y qué efluvios del Volcán no han de volvernos locos. Yo creo que así es, que la locura es la forma de estar y el método de vivir en Isla de Lobos. La única forma de sobrevivir. Loco estaba Augusto Rivero cuando aceptó acudir a la isla y recuperarla para España. Yo lo sabía y creo que nadie más. Lo sabía porque me lo contó aquel pobre hombre, el notario portugués de monedas y canudos, pesador de oro en piezas y también apolvarado, cuando, marioneta del pánico, lamentaba que el capitán del Circe hubiera decidido atracar en la isla, sin que hubiera argumento ni fuerza en este mundo capaz de hacerle reconsiderar y mucho menos renunciar a su pretensión. Dicen, los que dicen que saben, que el portugués se suicidó en alta mar porque temía la deshonra de llegar a Lisboa conmigo preñada de Albabella. Qué majadería. Los que dicen que saben, no saben nada. Tan fácil como tuvo el capitán del Circe dejarme en la isla, le habría resultado a él. Podría haberme vendido, o manumitido con dote de siete reales de Coimbra, o diez pesos lisboetas. Asunto arreglado. Pero él sabía lo que muchos rumoreaban en los despachos de ultramar, en las oficialías coloniales, y los marinos expertos confirmaban: a Isla de Lobos se llega, pero de Isla de Lobos nunca se sale. Intentó que el capitán del Circe reflexionara sobre aquellos vaticinios, le instruyó incluso con informaciones verídicas, obtenidas de la misma administración imperial, según la cual Portugal entregaba a España Isla de Lobos porque el enclave estaba maldito. El capitán del Circe, como todos los hombres de mar, era obcecado y demasiado valiente, y además creía en ti y en las leyes de la naturaleza que Tú instituiste a mayor gloria de lo creado. Decía al contador portugués: «Vamos, vamos, señor mío, no me diga que un hombre de su formación y cultura cree en esas bobadas, cuentos de marinos borrachos y leyendas de putas viejas en las cantinas más roñosas de las Américas». No hizo ni caso el capitán del Circe a las advertencias de mi amo, quien, en efecto, me tenía preñada de Albabella. No temía la vergüenza de volver a Lisboa con la esclava y la hija de la esclava, pero sí tenía miedo extremo a la prisión de una isla. La noche antes de colgarse de las traviesas del camarote, me confesó que, igualmente, sentía pavor ante la idea misma de la vida eterna. «Quiero vivir antes de morir», me dijo. «Pero una cárcel y una reclusión sin fin, en mitad del océano, es peor que la muerte, tan aterrador como la eternidad en carne y hueso». Poco después apareció meciéndose al extremo de la soga, con la lengua fuera y los pantalones manchados de todo lo que fluye por natural del cuerpo de un ahorcado. El iluso capitán del Circe echó su cadáver a las aguas y a mí me dejó libre en la isla, por compasión de cristiano, cosa que agradezco. Aprovisionó la nave y partió rumbo a Lisboa. Aún debe de andar cabotando con la isla a su vista, ya inalcanzable, ya imposible alejarse de ella, o quizás esté perdido en alguna tempestad que dura desde aquellos tiempos. Lo seguro es que nunca llegaron a Lisboa, ni él ni su barco ni su tripulación. Esa es la locura de esta tierra, este Volcán y estas costas.

Rezaba sin esperanza, con orgullo. Con bastante fe rezaba el ama Esmeralda. Una fe que, seguro, la redimía de sus otras pendencias con el Hacedor. Oraba, decía:

—Loco fue Augusto Rivero al preferir el poder completo y sin réplica a la libertad, ser príncipe en lo apartado de las aguas antes que capitán de fragata en cualquier puerto de cualquier país habitado por gente bien llevada con el mar y el calendario. Así lo quiso y tal hizo. De eso hace ya... ¿Qué sería de la Santa Ignacia? La última vez que estuve en el puerto era un montón de madera podrida, a medio hundir, que servía solamente para criadero de cangrejos y ovario de lampreas. Albabella ya estaba crecida, recuerdo. Augusto ya no me quería y hacía demasiado tiempo que no me visitaba por las noches. Por ese entonces pensaba en mi propuesta de que tomase en matrimonio a nuestra hija Aguas Santas. Loco estuvo al consumar esa locura que yo misma concebí, loca también sin duda, por los vahos silenciosos y malignos que brotan desde el alma perversa en el centro del mundo, por la boca vomitona del Volcán.

Rezaba la negra como si estuviera empeñada en olvidarlo todo, sanarse de todo con la medicina de recordar e insistir en el sin tino de cuanto guardaba en su memoria.

—Muchos años antes le había convencido para que fuésemos amantes. Yo estaba sola, aunque en Isla de Lobos, si perteneces a esta mancha en el mapa del infinito, nunca se está en soledad de veras, porque todos comparten sentido y razón para estar en el mundo, también el anhelo de dejarlo. Pero estaba sola, digamos que estaba sola porque el amo de la casa donde yo servía, había muerto. Su esposa, la barragana arrepentida, chismosa, recelosa de que se contaran por ahí las pasadas aventuras, gracias y singracias de su famoso coño, se cansó de esperar a que el marido muriese y le dejara en herencia una casa muy pobre aunque bastante amplia, próxima al puerto, un montón de monedas que nunca sirvieron de nada en la isla pero dan prestigio a quien las posee y, sobre todo, la libertad de volver al puterío por lo discreto: una pobre viuda, aún de buen ver aunque un poco ajada y demasiado arrugada para perder el tiempo en caricias, que necesitaría mantenencia y favor del vecindario; sobre todo, de los varones del vecindario. Total, que una mañana de lluvias y claros, aprovechó el estrépito de fugaz aguacero para, sin que nadie escuchase la trifulca de puertas adentro, estrangular al infeliz viejo marino con una media de seda.

Menos mal que yo, esa misma mañana, andaba repartiendo, por todos los hogares del habitado, euforbio desecado, canela de mortero y pétalos de adenio para bien dormir. Aquella Jezabel habría sido capaz de echarme las culpas por el asesinato del marino, un pobre hombre cuyo único defecto era molestar por lo muy viejo que estaba. Dijo la putíngana que su esposo había muerto de repente, y en eso no mentía porque tardó un santiamén en achuquinarlo. Tampoco hizo falta que Augusto iniciara investigación de aquella muerte, pues los mismos vecinos, más listos que la viuda tan lista, se dieron cuenta enseguida de lo que había ocurrido. Por lo demás, era fácil comprender que nadie fallece «de repente» con los ojos descolgados de sus órbitas y quemaduras de rozada en el pescuezo. Pronto encontraron la media de seda con rastros de piel y sangre, y rápido dictaron sentencia contra la flamante, efímera viuda. Hicieron justicia por cuenta de la tradición en Isla de Lobos: entre muchos la rodearon y condujeron al puerto, entre unos pocos la descuartizaron y echaron sus restos a los peces.

»Cuando Augusto supo lo ocurrido, consagró media hora de su tiempo a la cólera, lamentando a grandes voces que en la isla aún hubiese gentíos insurrectos, ignorantes de que él, solo él, dictaba leyes y hacía justicia. Luego se conformó, más o menos. Llamó al oficial de sus guardiamarinas y le dio instrucciones: «Bien está lo que acaba conforme a la lógica, pues a esa hija de Satanás la habría yo condenado a la misma pena que sus vecinos. Pero mal está lo que se inicia con desacato a la autoridad y, lo que es peor, desprecio de mi persona y privilegios legales. De tal modo, os presentáis en el habitado del puerto, detenéis a dos varones y dos mujeres y me los fusiláis sobre la marcha, para que escarmienten y en próxima ocasión se lo piensen dos veces antes de cometer salvajadas». El oficial le preguntó: «¿Hay bando?». Augusto replicó, todavía muy enfadado: «Ni bando ni hostias de canto. ¿Redactaron ellos sentencia legal para convertir en piltrafa a la viuda? Pues yo ni dicto ni firmo bando. Actuáis por vuestra santa fusilería y decís a todos que es orden de la autoridad, la única que existe en Isla de Lobos, y que si alguno quiere discutirla, se acerque a mi morada y exponga la queja». Antes de que el guardiamarina partiese a cumplir con su deber, Augusto le advirtió: «Si hay alguna preñada, no se os ocurra ajusticiarla».

»No la había. Nunca hubo otra mujer preñada en Isla de Lobos que yo misma, Señor. Eso también lo sabes.

»Sin amos a los que servir y con Albabella casi moza, ya inclinada al mar con devoción inexorable, perdida entre chapoteos por entre las rocas costaneras, nadando sobre las olas en compañía de lobos, dejándose llevar por las mareas y durmiendo sobre la comba panzuda de las aguas, ¡ay, Dios mío!, así salió mi pobre hija; jugaba a esos juegos durante horas y horas al principio, durante días y noches más tarde, hasta que acabó por instalarse en Playa Grande y ser para siempre, decía ella, «pastora y ama y también hermana de los lobos». En esas condiciones me vi, te decía, sin amos y con Albabella casi moza, malquistada y temerosa de la tierra firme y dada al mar hasta que se acaben la isla y el mar. Así me vi. No tuve otra elección juiciosa, entre otras razones porque nunca fui mujer para el prostíbulo, no pensaba casarme, y del servicio doméstico estaba escarmentada. Me presenté ante él, mi Augusto amante, y le dije las cuatro verdades que me metieron en su vida y a él lo metieron en mi cama. Pasamos buenos tiempos juntos, he de reconocerlo. Nadie controvertía su dominio en la isla, obraba a voluntad y según su sentido de la justicia, que era bastante predecible y casi nunca arbitrario, tampoco exagerado en premios o castigos. Y así, a nuestra manera, fuimos felices.

»El único inconveniente de cierta gravedad que surgió en aquellos tiempos fue la definitiva expulsión de los franceses, el Año de la Maldición. La Párouse le había cogido tanto miedo a la partida como sintiera mi antiguo amo, el contador de oro portugués, a llegar a Isla de Lobos. Y por ahí dispersos andaban los marinos de la vieja corbeta francesa, bebiendo con sus antiguos enemigos ingleses, jugándose los botones del uniforme a las siete y media y el julepe en la taberna. Cada vez que Augusto les mandaba aviso y les decía «Ya va siendo hora de la partida», se disculpaba el teniente francés con todas las excusas que le acudían al santiscario. Al final, no tuvo Augusto más remedio que juntarlos a todos, ponerlos entre sus naves y los fusiles de los infantes de marina que guardaban el puerto y la isla y todo lo que Augusto les ordenase guardar, y decirles: «O suben a las naos y parten en buena hora sus mercedes, o les cae plomo ahora mismo igual que sobre Egipto cayeron las no se cuántas plagas». Se marchó el francés, no sin antes soltar aquella maldición tan negra, tan fiera: «Día llegará, desagradecidos, en que volveré a Isla de Lobos y recuperaré todo lo que es mío. Y si no regreso yo, lo hará mi fantasma, o los espectros de mis leales tripulantes, a quienes hoy condenáis, igual que a mí, al exilio en los mares».

»A ese augurio con tan mala sombra siempre temió Augusto, igual que le teme Aguas Santas, digna hija suya. Por ese augurio fue tan mal vista la llegada del náufrago y el pobre infeliz más de una amargura ha sufrido, y por aquel vaticinio de La Párouse, proferido sin duda a causa del terror que le causaba el viaje sin destino, convertido en extraviado en las aguas para siempre, debe el náufrago su actual desventura y mal confiar de Aguas Santas, quien, como bien sabes, le ha impuesto una tarea más que ingrata, como trabajo de Hércules encomendado a quien de Hércules no tiene ni el color de las uñas de las manos. Ha ordenado al recién llegado que, si quiere merecer nombre auténtico de persona y vecindad sin discusión en Isla de Lobos, ascienda al Volcán y compruebe si arroja venenos hacia fuera o, como un poco misteriosamente ha expuesto, «crece hacia dentro». Esa es la penuria que ha dispuesto para el náufrago, y el pobre no tiene más opción que cumplirla si quiere quedar entre nosotros. No es que naturalizarse con derecho y pompa ciudadana en Isla de Lobos sea una gran suerte, pero la alternativa es bastante peor: volver al océano y que se lo zampen los peces. De manera que en semejante faena, ese ingrato afán, se encuentra ahora el rescatado de las aguas.

»Augusto no era tan exigente, ni de lejos caprichoso como Aguas Santas. Implacable, no te lo discuto: tal para cual, de padre barril hija tinaja. Pero él no tenía que demostrar su poder en la isla con tanta insistencia, con ruido en demasiadas ocasiones, tal así ella. Aunque, bien pensado, es lógico que una mujer con mando en plaza tenga que esmerarse más que un hombre... Mira, no lo sé. Lo que sí puedo decirte es que él, mi Augusto amante, era más sólido de estar, menos gritón, más rotundo y mucho menos aparatoso que Aguas Santas. Y desde luego, bastante más reflexivo. Me costó muchísimo convencerlo de que se casara con nuestra hija. «Qué locura», me decía. «Qué república y qué pecado». Yo le explicaba con mucha paciencia los entresijos más sutiles, ante todo prácticos y desde todo punto de vista beneficiosos del plan, y le decía que dejase de pensar en el pecado porque nunca tendría que yacer con la niña, faltaría más. Eso no lo habría yo consentido, una cosa es la voluntad de pervivir y mantener la supremacía y otra el incesto consumado, una aberración intolerable. Por eso mismo insistía, y le decía: «Déjate de escrúpulos y piensa en los grandes hechos y grandes hombres y mujeres que en la historia fueron». Él intentaba apocarme con recurso a la suficiencia, haciendo valer su condición de hombre blanco español poderoso, al tiempo que señalaba la mía de esclava negra manumitida por caridad de un naviero errante. Me replicaba: «¿Y a ti quién te enseñó la ciencia de la historia, Esmeralda?». Podría haberle contestado que mi antiguo amo, el marino viejo que sabía leyendas viejísimas, no paraba un momento, en su delirio senil, de recordar en voz alta episodios de la Biblia y del *Libro de los Reyes y los Imperios*, del germano Müller, pero tampoco vi mayor necesidad de desquite. Lo que se sabe, se sabe, y abundaba yo en lo que sabía para convencerlo: «Alejandro el Macedonio y su madre Olimpia siempre tuvieron lo suyo, no me lo niegues. Y Cleoptara, como reina de Egipto que era, se casó con sus dos hermanos Ptolomeos, uno primero y el otro después; y qué me dices de Arturo, quien engendrase heredero mortal de su hermanastra Morgana...». «Eso es mitología, paganismo», me refutaba Augusto. «Mito e historia son parte del mismo relato, sábelo. Lo que no se conoce al detalle hay que estudiarlo y se escribe y cuenta como historia. Lo que todos saben y hasta las piedras lo saben, no precisa tanto rango ni tinta. Con ser leyenda le sobra». «¡Sofismas!», se quejaba Augusto. «¡Verdades!», respondía yo. «¿Es leyenda o historia que el patriarca Lot, salvado de la destrucción de Sodoma, preñó a sus hijas en el desierto de Söar para continuar su estirpe? ¿Y Abraham y Sara de Ur, su hermanastra? ¿Y el embarazo de la Santísima Virgen María, hija de Dios como todos somos sus hijos?». «¡Eso es blasfemia!», me reprochaba. «Eso es una verdad como que hoy va antes que mañana, y si hubiese calendarios en Isla de Lobos podrías comprobarlo. El incesto es privilegio y cautela de los poderosos, el pecado pequeño necesario a la gran obra de los dioses y los reyes. ¿Tú que quieres ser, Augusto? ¿Un rey en los océanos o un déspota de cuatro cobres y siete pieles de lobo en una isla perdida, pequeña como la palma de la mano de cualquier Polifemo que ande de pesca?».

»Paradójico, mi Señor: resultó más sencillo convencer al presbítero don Manuel de Garceses que a Augusto. Cuando consultamos lo pretendido, opuso las objeciones que yo esperaba: «El incesto es un pecado gravísimo», sentenció. Yo acaté, le di la razón, sumisa y acorde con la doctrina que él tanto aprecia. También le di argumentos bastantes para librarlo de escrúpulos: «Augusto y yo vivimos amancebados, ¿no es así, eminencia?». «Otro pecado muy grande», alegó. «No lo niego, pero en estos casos no rige presunción de paternidad, como su paternidad bien sabe. ¿Quién, en conciencia y sin duda ninguna, puede aseverar que mi hija Aguas Santas es también hija de Augusto Rivero y no de otro? ¿Sabe usted, don Manuel, con cuántos hombres me he acostado en los últimos tiempos?». «Ni lo sé ni quiero saberlo», replicó muy enfadado, también muy derrotado en la firmeza de su repulsa. «Pues lo dicho: en conciencia, usted no puede poner reparos a este matrimonio». Humilló el sacerdote la cerviz. Sonreía Augusto, yo creo que orgulloso de mí. «¿Es lista mi negra, verdad, don Manuel?».

»Sesenta días después, se cumplieron dos meses del consentimiento del presbítero de san Atila. Sesenta días, entre amonestaciones y papeleos de parroquia, tardó en casar a mi pequeña Aguas Santas con Augusto Rivero. Por esa razón ella es viuda de Augusto Rivero, Ministra Única y Primera Magistrada de Isla de Lobos, y por mandato suyo camina el desdichado náufrago hacia la cumbre del Volcán, para espiar sus latidos, acechar sus convulsiones y fijarse bien fijo en si exhala vapores tóxicos o se devora a sí mismo y, como teme Aguas Santas, «crece hacia dentro».

— IX —
Regreso

El náufrago Manuel Torga, a quien diremos en adelante Manuel Torga o Manuel a secas, pues ya recibió el sacramento del bautismo y eso lo hace Manuel Torga a ojos de Dios y de los hombres, por más objeciones que doña Aguas Santas Rivero entremedie a este derecho, obligándole a heroísmos que prueben su buena índole antes de permitir que se le llame Manuel Torga en Isla de Lobos... Decía el relator, decíamos: Manuel Torga caminó día y medio, isla arriba, desde el hogar pordiosero de Ramiro, en Cabo Jurado, hasta el último valle por recorrer previo a los esfuerzos en la pendiente arisca del Volcán.

Cualquier otro vecino de Isla de Lobos, acostumbrado a las veredas estrechas, medio borradas por el viento y ocultas por matorrales en demasiados tramos, habría tardado como mucho una jornada en hacer el mismo recorrido, pero Manuel Torga ni conocía el país ni andaba sobrado de fuerzas. Además, en cuanto llegaron sus pasos al interior de la isla, el remonte continuo de colinas y barranqueras, donde asomaban al vértigo los ingenios laboriosos del cultivo escalonado, escuchó gruñir y ladrar perros a cada poco trecho, por lo que anduvo muy lento y sigiloso, evitando salir de las trochas y hollar siquiera las lindes de cualquier terreno rústico, protegido sin duda por los famosos canes. Sabía de sobra, porque Ramiro lo instruyera en la materia, que los campesinos de tierra adentro criaban con mucho esmero y en mucha cantidad razas de perros molosos, de dentadura de lobo y bocado de cepo, para defender sus tierras de saqueos. Aquellos agrícolas desconfiados, aparte los pocos pescadores que tejían sus mallas en el puerto, cuatro o cinco arrieros y otros pocos albañiles casi siempre sin faena, eran la única gente en verdad laboriosa de la isla. El resto del censo, numeroso hasta excesivo, lo componían setenta veteranos guardiamarinas al servicio de la administración, o sea, de doña Aguas Santas Rivero; y un tropel de buricandios llegados de todas partes, ocupados en permanecer secos sobre tierra firme y sin otro oficio que respirar, comer, beber y dormir. Cierto que se conocían excepciones a esta norma del zascandileo, como el caso de don Manuel de Garceses, presbítero intachable de san Atila, o el geógrafo don Sebastián, el santero Sanaperros, el matasiete Jaruzelski, las beatas de número en la iglesia, unas cuantas criadas que servían en el habitado del puerto, Ramiro el contador de olas... Pero entre todos aquellos juntaban exactamente lo dicho: una excepción. Lo natural en Isla de Lobos era ir del lecho a la taberna, jugarse a naipes, a tabas o a churro-pico-terna los manoseados, regastados cobres que llevaban pasando de una bolsa a otra desde tiempos en que el perfil del Gran Duque de Borgoña figuraba de cara en las monedas, y en su envés la *tughra* de Selim II; y ya solucionados los envites por azar o riña, que de todo había, esperar la caída de la noche en el prostíbulo, de fornicio si hubo suerte en la partida, de cháchara con las putas y sus clientes si las apuestas salieron torcidas. Los había bebedores de vino y de ginebra, fumadores de tabaco y de cáñamo, comedores de higos picos, uva caleta, almendras de Maracaibo, cangrejos muertos de ancianidad en las rocas costeras, peces varados en charcales y algún que otro pájaro caído de las nubes, tras sufrir síncope o fatal desequilibrio en pleno vuelo. El resto de abundancias en Isla de Lobos pertenecía a los agricultores. Los demás vecinos, de suyo desocupados y con mucho tiempo libre para ingeniar chamarileos, penetraban en tierra ajena deprisa y corriendo y arramblaban con lo que buenamente podían y según sus luces les daban a entender. También por ese motivo, para ahuyentar a los nómadas y perder lo menos posible de sus cosechas, los rústicos hacendosos de la isla criaban y adiestraban a los temibles perros guardianes.

Cauteloso y avisado, por tanto, hizo el camino Manuel Torga. No temía a los perros si uno a uno le saliera al paso. Para la ocasión, si se presentaba, llevaba dispuesta una estaca de cedro, redonda y compacta en un extremo y con empuñe de hierro en el otro, así como un cuchillo de desollar lobos marinos, herramientas con que Ramiro lo proveyó antes de iniciar su viaje. Su recelo era que surgiesen en medio del camino no un perro ni dos, sino cualquier jauría de doguillos silvestres, sin dueño ni tierras que guardar, de las que se formaban a cada poco entre canes perdidos, dejados de la mano del amo por haber extraviado los vientos, ser vagos o despistados en la vigilancia, nacer rabones o con falta de un testículo y minucias parecidas. Aquellos animales se juntaban en voraces rehalas y actuaban, a decir de sus conocedores, con la astucia y el rencor de auténticos desterrados. En número de diez o doce, acechaban en silencio y se lanzaban al ataque todos juntos, con una rabia de infiernos, mordían, desgarraban y zampaban a todo bicho viviente que tuviera la desgracia de cruzarse en su camino. Se contaba de dos marinos holandeses caídos en una de aquellas celadas, y que de ellos solo dejaron los dientes y la rubicunda pelambre. Se contaba de un arriero en viaje desde el norte de la isla, donde los ingleses cultivaban patatas para sostenerse y hacer ginebra con las mondas, al habitado del puerto, destino en el que pensaba vender treinta sacos de puras papas que cargaban cinco mulas; el arriero pudo escapar, pues los perros silvestres bastante se entretuvieron con las acémilas, pero entre la ruina de su negocio y el miedo que pasó en el brete, quedó el pobre trajinante tocado de la cabeza, medio lelo de por vida, la cual resultó muy corta desde el día de su desgracia: apareció flotando muy cerca de los restos de la Santa Ignacia, adonde llegó con la marea tras ahogarse por intentar la captura de un pulpo viejo que resultó demasiado ágil para él. También se contaba, y aquello era muy cierto y sin exageración, que cuando los guardiamarinas de doña Aguas Santas Rivero visitaban las afincadas de la isla, en tarea de recaudación de tributos, lo hacían en grupos de no menos de ocho, con gozques ladradores que advirtieran merodeos de jaurías, con cazos y cencerros colgando del cuello de las mulas para hacer ruido y espantar a las bestias de monte, incluso con toques de trompeta y alguna que otra descarga de fusil; una tenaz algarabía que sin duda ahuyentaba a los perros salvajes, pero también alertaba a los labriegos sobre inminentes ripios fiscales. Los lugareños, a toda prisa, escondían cántaras de aceite palmero y barriles de vino, subían cabras y cerdos al monte, enterraban sacos de maíz y cubrían los montones de patatas con estiércol. Señaló el problema don Augusto Rivero en cierta ocasión, muchos años antes, y nadie había intentado solucionarlo con éxito. Dijo el Primer Magistrado: «Los perros salvajes son una desgracia para la población y causan una sangría permanente a las arcas públicas». Después quedó un rato pensativo, como si le hubiese resultado corta la sentencia. Al cabo la remató con voz muy sentida y briosa, como de cíclope en su caverna: «Me cago yo en los perros, la perra que parió a los perros y en el campesino cabronazo en cuyas tierras nazcan los malditos pichinches». Y ya descansó más tranquilo.

En esas andaba Manuel Torga, avanzando entre nopales y algún triste viñedo de racimos como la palma de la mano y uvas como perdigones, cuando avistó frente a sí, pensó que fatalmente, un enorme perro.

Era grande como un ternero, de fauces descomunales y belfos carnosos que se agitaban entre babas conforme la bestia trotaba hacia él. Las orejas cortadas y la collera de pinchos que protegía los gañotes del animal no tranquilizaron a Manuel Torga, a pesar de lo que significaban: era un perro con dueño, civilizado, por así decirlo, no fiera silvestre de temer más que al diablo. Pero si el bicho había decidido que el caminante era intruso en tierras bajo su custodia, ni silvestre ni adiestrado: el encuentro acabaría mal.

Manuel Torga asió con fuerza la garrota de cedro, procurando no alzarla demasiado para no parecer agresivo y enfurecer al dogo antes de tiempo.

Poco a poco se fue aproximando el formidable dentado, lo que permitió a Manuel Torga comprobar lo decaído de su paso, como anquilosado por la edad, así como el blancor de la capa velluda en torno a la bocaza, y el cristal sin destello ni vida en sus grandes ojos. Era un perro viejo, sin duda. Un perro muy viejo.

Viejo y ciego, el animal llegó a media zancada de Manuel Torga. Olisqueó un instante, se alzó sobre las patas traseras con bastante esfuerzo y puso las manazas, con pezuñas como puñales oxidados, sobre los hombros del caminante. Gimió de dicha el vetusto guardián de los viñedos. Movió el rabo con frenética alegría y lamió la cara de Manuel Torga todo el tiempo que le duró la feliz sorpresa. Después restregó su hocico, grande como una piña, por todo el cuerpo del caminante. Reconociéndolo. Dándole mil gracias por haber regresado.

—¡Brillo! ¡Deja en paz al caminante, que ni ha robado ni intenciones se le ven!

La voz en grito sonó entre las ramas y matojos de un trochal a la izquierda del camino. Tras la voz apareció su dueño, un campesino aún más viejo que el perro, vestido con blusón de borra, pantalones de lino muy remendados y sandalias de esparto. Cuando llegó próximo al caminante, con intenciones de tranquilizarlo y preguntar adónde se dirigía, quedó unos momentos sin habla, como herido por luces oscuras de un tiempo olvidado. Atónito, achicó la mirada y miró y remiró muchas veces antes de preguntar:

—¿Manuel?

Asintió el caminante, no muy seguro de lo que estaba sucediendo.

—¿Manuel Torga? ¿Eres tú? Soy tan viejo y tan torpe veo que apenas distingo tu cara. Pero eres tú, ¿verdad? Eres Manuel Torga.

—Ese es mi nombre.

Con los ojos llenos de lágrimas, el anciano se le abrazó como si acabasen de cruzar juntos las puertas del paraíso, recién abiertas para ellos.

—¡Manuel! Lo sabía ¡Nuestro amo Manuel! Nunca perdí la esperanza. ¡Nunca! Siempre se lo dije a todos, a tu mujer y a tu hijo más que a nadie. Siempre… siempre les dije que regresarías.

***

Lo que más abrumaba a Manuel Torga no era sentir el vacío sin alma ni pasión donde debería acogerse todo el afecto de este mundo por el recuerdo de su esposa, la bella Ariadna, y de su primogénito Ivo, un mozallón de fornidos brazos y raudas piernas, muy hábil arquero cazador según le contasen; tampoco la absoluta desmemoria del capataz de la afincada, el anciano Matheus que con tanto júbilo lo recibió en el camino y que, conforme a su promesa de lealtad, había guardado el dominio durante los muchísimos años de ausencia. Lo que turbaba de verdad los ánimos del regresado del océano era la inmensa gratitud con que el moloso Brillo celebraba cada encuentro con él; porque el olor a barro y raíces que impregnaba la pelambre del animal, el vaho de su aliento cuando le lamía el rostro, sí le resultaban conocidos y le hacían sentir cierta vaga ilusión de familiaridad. Se decía Manuel Torga: «Para eso quedó mi triste, desvencijada memoria: a la altura de lo que un perro puede recordar». Ariadna insistía para que no desesperase: «Ten paciencia, esposo amado», lo consolaba; «nadie que fuese al océano y en él se extraviara por tiempo y tiempo, regresó en todos sus cabales... Sin embargo, al abrigo de la familia y la tierra, todos acabaron por recuperar el sosiego y la memoria, y lo más importante: el conocimiento de sí mismos».

Era Ariadna una mujer muy hermosa, tanto que, por tal, hizo fama en los entornos de la afincada, en el Valle Encendido y en todas las tierras que lindaban con la hacienda donde ella y Manuel Torga fueron dueños desde siempre, una extensión de estrechos viñedos y frondosos carrascales que llamaban Los Loizos. Y de aquellas virtudes, su dulzura de ojos negros en noche muy clara, semblante sereno de hembra bien amada y muy enamorada, talle gentil como una mañana de fiesta y cabellos tan lúcidos que hasta el aire del Atlántico y el azufre del Volcán rondaban por su hechizo, llegaron complicaciones y algunos disturbios cuando el amo Manuel Torga faltó de sus tierras. Pues sucedió que los hacendados ricos de aquella parte de la isla, ansiosos de labrantíos y cosechas, y codiciosos de ella, comenzaron a frecuentar su casa y a proponerle unir tierras, almas y todo lo que pudiera juntarse entre hombre y mujer. Por más que Ariadna los rechazaba, alegando que no había en su corazón otro cobijo que el guardado a su esposo, y que Manuel

Torga regresaría tarde o temprano para seguir gozando sus posesiones en el mundo de tierra firme y gozándola a ella, los ufanos propietarios del Valle Encendido intentaban desanimarla día sí y día también: «Partió con la flota de La Párouse, no lo olvides, florecilla... Ninguno de aquella expedición llegó a puerto ni regresará a Isla de Lobos».

A lo que ella respondía:

—Embarcó con los franceses por orden de don Augusto Rivero, con instrucciones muy claras de llevar noticias sobre la incorporación de nuestra isla al ultramar de la corona, y también quedó obligado al regreso, con anuencias reales para que el mismo don Augusto Rivero ejerciese los cargos de Primer Magistrado y Ministro Único. Mi esposo jamás faltó a su palabra. Volverá.

—No volverá. Nadie vuelve de los mares a Isla de Lobos —insistían.

—Manuel Torga, sí —porfiaba ella—. ¿Acaso sois vosotros Manuel Torga? ¿Habéis nacido con el alma de Manuel Torga, o bajo la piel de Manuel Torga? ¿Qué zarandajos sabéis vosotros de lo que puede o no puede hacer Manuel Torga?

—Sabemos que nadie regresa del océano —repetía uno, al que llamaban Fabián Desiderio, plantador de tabaco y recolector de aceite de palma.

—Qué hermosa estás cuando te enfadas —decía otro, Roque sin más nombre que Roque, campesino de los más afortunados en aquella parte de la isla.

Ariadna acababa por enfadarse de verdad. Llamaba al viejo Matheus y le mandaba echar de su casa a la visita, a bastonazos si fuere preciso. Los pretendientes de la bella esposa sin esposo, pretendientes por igual de Los Loizos y su riqueza, salían entre risas, esquivando las tarascadas del anciano y con mofa de sus insultos.

—¡Desgraciados! ¡Cobardes y malagradecidos! ¡Cuando el amo estaba en Los Loizos solo veníais para suplicarle un puñado de semillas, un barril de vino, unas cántaras de agua! ¡Largo de una vez! ¡Cualquier día os azuzo a los perros!

Como el único perro guardián que quedaba en Los Loizos era Brillo, los cirigallos nada temían, pues andaba el braco más achacoso y lento que el mismo Matheus.

—Ya volveremos, viejo. Seremos tus amos.

—Antes me arrojo a las tripas del Volcán.

A cada poco se repetía la polémica. Llegaron más aspirantes al cargo de esposo, insistieron hasta hacerse cargantes; se repetía una y otra vez la controversia y todo concluía siempre de igual forma: el viejo Matheus expulsando a los moscardos, el aún más viejo Brillo gruñendo aunque sin ganas de abandonar su rincón de la siesta, Ariadna enfurecida y el joven Ivo, cada vez más ágil trotador por los campos y más ducho con el arco, vigilando la retirada de los alborotadores.

—Cualquier tarde de estas los sigo hasta su predio, aguardo la noche y a flechazos les arrebato el pulso —se decía, y de tanto decírselo llegó a convencerse de que el reniego se había convertido en promesa.

—El agua, señora —advertía Matheus a Ariadna—. Eso es lo que desean por encima de cualquier otra cosa. El agua.

—Lo quieren todo —lamentaba ella.

—El agua más que todo. Los Loizos es el único dominio en Isla de Lobos con nacimiento de aguas. La única fontana en esta esquina del mundo y en todos estos mares, es tuya y de tu esposo... Un bien demasiado estimable para que ellos lo olviden, ahora que Manuel Torga no concurre.

—También me quieren a mí —casi sollozaba Ariadna.

—El agua como tus lágrimas y tus suspiros, señora —volvía el anciano sobre lo mismo—. Si se hacen con ella, ya no tendrán que conformarse con la que nos sobra y se esparce por las cortadas y torrenteras, Volcán abajo; ni esperarán medrosos a que llueva cuando debe llover y escampe cuando conviene. Si consiguen el agua, lo tendrán todo. También a ti.

Así relataba Ariadna a Manuel Torga aquellos asuntos, a los tres días de regresado el náufrago, de ser marido y mujer nuevamente bajo el techo de sus intimidades en la alcoba matrimonial, donde tantas veces se habían amado en otros tiempos, según contaba Ariadna entre suspiros, donde ahora él, vuelto de los mares y fascinado en la oscuridad de su memoria, apenas creía en su buena suerte: salvarse de morir a la deriva para, al fin, caer en regazo de mujer tan hermosa, tan ardiente y que tanto lo había añorado y tanto lo amaba.

—Ese fue el origen de aquellas discusiones —le confidenció Ariadna: el agua. La desean más que a mí.

Manuel Torga pensaba en la fuente que brotaba con cauce fresco, achicado y en bendita constancia, en la caverna de Albabella, allá abajo en Playa Grande. Seguro que las mismas aguas de Los Loizos, nacidas en una poza entre pedruscos de lava sólida, en el lindazo de su propiedad con el cuestarrón que ascendía al ojo del Volcán, se filtraban por los cauces subterráneos de Isla de Lobos e iban a parar a la cueva donde la hija de Esmeralda y Augusto Rivero se refugiaba del mundo y devoraba pescado.

—Si esos vagos se tomaran la molestia de buscar y excavar donde conviene, encontrarían agua para sus tierras — zanjó la polémica—. Si la naturaleza dio a Los Loizos el monopolio del agua, la dejadez y la gandulería hicieron el resto para condenar al secano a sus vecinos.

—Nadie escarba la superficie de la isla más que lo justo para sembrar —le aclaró Ariadna aquellos usos, tal vez tradiciones, que el antiguo náufrago había olvidado—. Tienen miedo de llegar demasiado profundo... Temen a la tierra. Y al Volcán.

—Pero no tuvieron miedo ni vergüenza de rondar mi casa, asediar a mi esposa y codiciar mis bienes —contravino Manuel Torga a la bella Ariadna—. Tres pecados de los que deberían arrepentirse tres veces y hacer trescientas penitencias.

Ella cerró los ojos. Asintió un poco avergonzada por la pizca de misericordia hacia quienes habían injuriado al esposo. Pensó: «Un hombre en el lecho, desnudo ante su esposa desnuda, siempre habla con el corazón y siempre dice la verdad. Al menos eso me enseñaron desde muy joven y siempre he creído en ello».

Abrazó y besó a Manuel Torga. Le ofreció su cuerpo una vez más.

***

La tarde del cuarto día, Manuel Torga y Ariadna recibieron en la arcada de sus mansiones, ante la puerta principal, a los habituales de la visita, los campesinos avariciosos que antes se dijeron Roque y Fabián Desiderio. Acudieron ambos muy vistosos de atavío, con galas de Día de Santos y Misterios, nombre litúrgico con que bautizase el presbítero don Manuel de Garceses la festividad de san Atila. Llegaron a paso calmo, sin efusiones, aunque ambos sonreían de forzado como si les alegrase infinito volver a encontrarse con Manuel Torga.

—Bienvenido a tus tierras y a tu lugar en el mundo, donde te añorábamos —saludó Fabián Desiderio.

—Bien hallado de nuevo entre nosotros, que tanto te apreciamos —apostilló Roque las cortesías.

Manuel Torga sostenía en la derecha, a modo de báculo patriarcal, la garrota que le acompañó durante su viaje a Los Loizos desde el cobertizo de Ramiro en Cabo Jurado. Inclinó la cabeza, en signo de aceptación. Ariadna no se movió un milímetro ni hizo gesto alguno. Observaba a los recién comparecidos con la dureza que ellos presentían.

—Creíamos que habías... Que el mar se te llevó para siempre —añadió Roque.

—Era lo más lógico. ¿Qué otra conjetura podíamos considerar? —sobreargumentó Fabián Desiderio, tabaquero, aceitero y apetecedor de hembras del prójimo.

—No hablemos de eso ahora, sino del futuro. ¿No os parece mejor asunto para todos?

—Sí, sí... —asentían con optimismo, un poco obsecuentes, el tal Roque y el no menos tal Fabián Desiderio.

—Lo pasado, pasado...

—¡Eso mismo!

—Y en adelante... —sugirió Manuel Torga.

—En adelante, buena vecindad, ayuda mutua y, si fuera posible, un acuerdo equitativo para servirnos del agua que brota en tus campos —respondió Fabián Desiderio.

—¿El agua? —fingía extrañeza Manuel Torga.

—El agua... Claro está. Los últimos años han sido muy secos, querido vecino nuestro, lo cual te notifico por si no te habían informado de ello. Vientos y nieblas, nublos cerrados como prisiones de plomo, no han faltado. Pero agua... La tan ansiada agua de lluvia... ¡Qué poca nos llegaba! De no ser porque tu capataz, el viejo Matheus, nos cedía derechos de cauzada, nuestros campos habrían terminado por marchitarse para siempre. El agua de Los Loizos nos salvó, pero, caramba... A un precio más que elevado. No digo abusivo porque ahí enfrente está Matheus y no es momento de controversias...

—El precio del agua lo puse yo —interrumpió Ariadna el discurso de Fabián Desiderio—. Él se limitaba a cobrarlo, no sin recibir insultos de propina.

—Oh, eran simples regateos —se excusaba el campesino rico.

Su acompañante Roque, tan acaudalado como él, asentía con vehemencia, dándole la razón.

Al otro lado del patio, Matheus contemplaba la escena puesto en cuclillas, junto al muy reviejo y muy orgulloso Brillo. Un poco más allá, el joven Ivo paseaba calmoso entre matas y arboletos, concentrado en sus propios pensamientos.

—Matheus, con la edad, se ha vuelto hirsuto de carácter —intentó Roque la última disculpa.

—¡Basta por ahora! —zanjó Manuel Torga la discusión—. He dicho que íbamos a hablar del futuro y eso mismo es lo que vamos a hacer. ¿Conformes?

Asintió la visita.

—En el futuro, el precio del agua sube un tercio. Si pagabais dos sacos de maíz por dos horas de cauceo, ahora son tres.

—¡Pero eso es injusto! —se quejó Fabián Desiderio.

—¡Un abuso! —se le unió Roque en el reproche.

Manuel Torga tomó con ambas manos la estaca rotunda por la base y acerada en el mango. Se inclinó ligeramente para descansar sobre ella el peso del cuerpo. De tal forma, hablaba con modos de relajo y, al mismo tiempo, amenaza de erguirse cuando le pareciera, con alzar el garrote y emprenderla a palos con sus vecinos protestones.

—¿Injusto, decís? ¿Un abuso, decís? Injusto y de mucho abuso ha sido que durante todo este tiempo de mi ausencia hayáis importunado en mi casa, insultado a mi esposa, a mi criado y a mí mismo, pretendiendo mis bienes y codiciando la mujer que era y sigue siendo mi mujer. ¡Eso es injusto y eso es abusar, y buen ejemplo de vuestra mala índole y vuestra cobardía!

Ni Fabián Desiderio ni Roque sabían qué responder, ni se atrevieron a insinuar palabra alguna, no fuesen a alterar aún más los ánimos del dueño de Los Loizos.

—De modo que lo dicho. Ese es el precio de mi agua, en adelante. Si os parece excesivo, si no podéis satisfacerlo, haced lo que mis antepasados: buscad donde la haya.

—¡Oh, qué desventura la nuestra! Nos condenas a la pobreza —se permitió al fin un lamento el llamado solo Roque, de quien no sabemos su apellido porque seguramente no tiene ninguna importancia.

—Agradeced que no os despida con trancazos en la espalda. No quiero veros en esta casa ni por mis tierras en los años que os queden de vida.

—¡Oh, calamidad! —lloriqueaba Fabián Desiderio.

Silbó Manuel Torga para llamar la atención de Ivo. El muchacho llegó a la carrera. Besó la mano a Manuel Torga.

—Dime, padre.

—Me han dicho que eres hábil con el arco.

—He aprendido cuanto pude —respondió Ivo.

—Pues olvídate hoy del arco. Toma piedras y échame a estos dos desgraciados como si fuesen cabras triscando en bancal ajeno.

Sonrió triunfante el hijo de Manuel Torga. Corrieron con torpeza, por la falta de costumbre, Fabián Desiderio y Roque. Ivo les concedió unos pasos de ventaja. Después de agacharse y recoger un puñado de guijarros, afinaba puntería contra sus lomos.

—¡Desdicha mayor no cabe! ¡Afrenta mayor no es concebible! —se quejaban los vecinos mientras aligeraban, resollaban, recibían pedradas y maldecían por lo bajo a Manuel Torga y a su semilla en la tierra.

El viejo Matheus y el viejísimo Brillo aullaban de gozo. A los dos les caía la baba de pura felicidad.

Por la noche, sentados en escabeles de pleita, muy bien repantigados con la espalda pegada al muro del alpendre, en el patio interior, bebían aguardiente de agave Manuel Torga y el viejo Matheus.

—Has hecho bien en librarte de ellos —decía Matheus—. Un asunto menos del que ocuparte. Ahora solo necesitas otro poco de buena suerte, mi amo, y recuperar la memoria.

El sabor agudo y lento del licor empapaba las palabras de ambos, gustadas de parsimonia y un tanto satisfechas. El aire templaba la oscuridad como un bostezo en plena modorra de anochecida.

—Aún me queda una palabra que cumplir, la que di a doña Aguas Santas Rivero de ascender hasta la cima del Volcán para observarlo y fijarme bien fijo en su latido. Después, volver para contarle si exhala azufre y otros venenos de los que acostumbra, o si ha empezado a devorarse y, como me dijo y tal como teme, crece hacia dentro.

—Yo puedo ahorrarte ese trabajo —se ofreció tan campante Matheus.

—¿Estás seguro?

—Y tanto —respondió el anciano, ufano de sí—. No hace dos semanas estuve en la misma cima, persiguiendo a unas cabras insurrectas que huyeron montaña arriba y triscaban por los espinardos a medio requemar que brotan en aquel desierto.

—¿Y qué viste?

—Nada.

Quedó unos instantes indeciso Manuel Torga.

—Si no viste nada, nada puedes contarme, y mucho menos puedo ir al habitado del puerto, hasta la mansión de doña Aguas Santas Rivero, para decirle que ahí arriba no hay nada.

Lanzó Matheus una risotada.

—Nada quiere decir mucho —contradijo a Manuel Torga—. Nada, en nuestro caso, significa que el Volcán ha cerrado el pico. Permanece callado, agazapado en su amenaza, que es el silencio. Ni crece ni decrece ni suelta vaharadas con sus tufos tósigos de siempre.

—¿Eso es bueno?

—No. No es bueno. El Volcán no habla ni se expresa porque, sencillamente, aguarda.

Pensó Manuel Torga en las palabras del capataz de Los Loizos. En voz baja, temeroso, se atrevió a preguntar:

—¿Qué crees tú que está esperando?

—Lo que yo crea no tiene importancia —contestó Matheus—. Lo que el Volcán no dice es lo que debería preocuparte.

—Caray, me desconciertas con tanta retórica —se quejó Manuel Torga—. Aclárame de una vez, hombre de Dios, ¿qué carajo dice o no dice el Volcán?

—Lo oíste hace un momento. Él espera. Y cuando el Volcán espera, en nada bueno podemos pensar los que vivimos a su sombra. ¿Eso también lo has olvidado?

—También —reconoció el antiguo náufrago.

—Pues espabila, amo mío Manuel Torga. Espabila y corre a tus habitaciones, entra en el lecho con tu mujer y hazle otro hijo antes de que sea demasiado tarde. Porque… Lo dice sin decirlo el Volcán: poco tiempo nos queda de mantener los pies firmes sobre Isla de Lobos.

—¿Estás seguro?

El viejo Matheus no se molestó siquiera en responder a la pregunta.

—Dentro de cuatro días bajaré al habitado del puerto con dos mulas y una carreta cargada de maíz. Avisaré a los servidores de doña Aguas Santas Rivero. Les llevaré tu mensaje. Que se arreglen como puedan y hagan lo que Dios les dé a entender con esa información que tanto urge a la Ministra Única: el Volcán espera. Ella sabe perfectamente, como lo sabemos todos en la isla... excepto tú, que eres como un recién llegado, como un niño sin escuela... Ella sabe lo que eso significa.

Escucharon bostezar a Brillo. Ivo llevaba un buen rato merodeando entre los matorrales, a oscuras, persiguiendo topillos, tal vez acechando a alguna rapaz noctámbula.

—Haré lo que dices— asintió Manuel Torga.

Se puso en pie, empleó unos segundo en equilibrar cada parte del cuerpo y ajustarla al leve vaivén del aguardiente que acariciaba desde la coronilla a los pies.

—Descansa, buen amigo. Yo voy en busca de mi esposa.

Reía el capataz de Los Loizos:

—Esa afición no la has olvidado. Ningún hombre sería tan necio, desde luego. Por muchos años que hubieses permanecido en los mares, nunca se te habría esfumado de la memoria el recuerdo de mi dulce ama, tu bella Ariadna. Gózala hoy. Mañana, Dios y el Volcán dirán.

— X —
ET IN ARCADIA EGO[*]

Ariadna cerró los ojos, acurrucada, entregada con delectación a la benévola tibieza de su propio cuerpo y del cuerpo
de Manuel Torga, quien por mucho tiempo faltó de su lecho
y ahora encendía con fuerza de hombre rendido aquellas horas de goce y desvelo. Le gustaba permanecer así, abrazada
al esposo como si durmiera, escuchando su respiración, dejándose acariciar por el rastro confortable de la humedad
que persistía íntima tras el encuentro y la pasión y la dulzura
con que se habían amado, tal como se tuvieron uno al otro,
poseyéndose con la avidez de quien recupera la risa y el llan-
to de años perdidos, el tiempo pasado que nunca vuelve y la
huella de ese tiempo aún capaz de encender sus corazones y
herir sus miradas con el deseo al que apenas podían nombrar, y unirlos cómplices en el secreto de alcanzarlo. Así se
querían entonces, aunque ella, Ariadna, con los ojos cerrados a cobijo de la noche, fundida su sombra con el aliento
de Manuel Torga ya dormido, sabía que el recuerdo no era
el mismo para ambos. Él acababa de llegar a la vida que fue
suya y de la que aún todo lo ignoraba; ella, todo lo sabía.
Sabía por qué Manuel Torga fue a los mares, viajero en la

[*] Título de dos célebres cuadros de Nicolás Poussin que alegorizan sobre la
presencia de la muerte incluso en los escenarios más idílicos y felices. Libremen-
te, la frase puede traducirse como: «Yo, la muerte, reino incluso en Arcadia».
(N. del A.)

flotilla del francés La Párouse, enfrentado a un destino del que temía no regresar nunca. También sabía del tiempo pasado como una enfermedad del alma, la soledad y la espera, las noches de maldormir aguardando una amanecida sin consuelo, la inclemencia de cada día en aquellas tierras ásperas que estaba condenada a cuidar y conservar, el ir y venir y murmurar y cotillear de los renegridos braceros que trabajaban bajo mando de Matheus, las maquinaciones de sus avariciosos vecinos, quienes codiciaban Los Loizos como si Los Loizos fuese el paraíso terreno y no un anchurón de arenas oscuras y piedras volcánicas, donde crecían algunos frutos porque en el mundo y en Isla de Lobos, pensaba, siempre arraigan los pulsos de la vida aunque tengan que aferrarse al cuero de un animal cuyos huesos blanquean bajo el sol. Todo medra, todo acaba por surtir del poso reseco del mundo sobre el que ponemos los pies y nos mantenemos vivos. Y fue de esta manera como sobrevivió aquellos años, en pie y sin lágrimas en los ojos, azotada por los vientos del este y del oeste que cruzaban Isla de Lobos; la mirada siempre en el horizonte, imaginando el día en que él regresase, y la memoria lastimada por todo cuanto había sucedido y los había apartado.

Ocurrió muchos años antes, cuando Albabella, la hija de la negra Esmeralda, ya se había apartado de todos para refugiarse con los lobos de mar, en el playado de Cabo Jurado. Cuando don Augusto Rivero, esposo de Aguas Santas por necesidades de su ordeno y mando en la isla, ya no quería a la madre de la recién casada, la misma Esmeralda de siempre. Porque Esmeralda nació para que los hombres la desearan, cierto, pensaba Ariadna; pero no nació el hombre que la amase para siempre. La deseó el contador portugués que acabó ahorcándose en el Circe, cuyo capitán, de quien nunca se supo el nombre, dejó a la negra en Isla de Lobos para que Dios y la vida cuidasen de ella. La deseó Augusto

Rivero, tanto como para concederle todos sus caprichos y tomar por esposa a la hija de ambos y nunca protestar y mucho menos maldecir aquella bíblica brutalidad. Pero no la amó, nunca. La quiso y dejó de quererla por la misma razón que la quería: porque sí. Por la misma razón que en aquellas épocas la deseaba a ella, a Ariadna.

La primera vez que puso sus ojos en ella fue suficiente para quemar todas las cortezas de su alma. Subía don Augusto hacia las pedreras del Volcán, comandando una persecución de perros silvestres. Lo acompañaban dieciséis guardiamarinas de la Santa Ignacia, dos mauritanos expertos en despellejar y cuatro pichinches rabicortos, avisadores de ladrido agudo que erizaban la pelambre del lomo en cuanto presentían un mastín a mil metros de distancia. Habían matado muchos perros sin dueño, arrancado sus pieles y echado la carne al monte pelón, para que se atiborrasen las carroñeras. Cruzaron desde el camino de lava lisa que ascendía directo a la hendida del Volcán, hacia la costa al oriente de la isla, siguiendo el rastro de una jauría. Atravesaron Los Loizos y fue entonces cuando encontró el Primer Magistrado la última pasión de su existencia. Ariadna y Manuel Torga recibieron tan amables al Ministro Único, ofrecieron agua y fruta fresca a la tropa, y comilona de tres platos y siesta de cuatro horas a don Augusto Rivero, un descanso largo que él mucho agradeció. No fue excesivo el dispendio, ni demasiado tiempo el que pasó en aquellos hogares la partida de cazadores de canes, aunque eso sí: más que suficiente para que el Ministro Único anclara su mirar al cuerpo de Ariadna, y arrasara los ojos de la mujer, entornados de vergüenza, con el fuego incendiario de sus ojos, y decidiese que era la hembra más hermosa y más de apetecer que había conocido y, seguro, jamás conocería en lo que le quedase de vida. Ariadna tuvo miedo, y razones no le faltaban.

Hay hombres que han nacido para desear y otros para soñar, recordaba, abrazada al esposo durmiente, tranquila sin sueño, reposada como si durmiese. Don Augusto Rivero era de aquellos caídos en el mundo con las garras abiertas, dispuestos a poseer y gozar todo cuanto el destino les pusiera por delante. ¿Por qué, si no, había navegado desde las costas de España hasta un islote perdido en medio del océano, y metido en orden a sus habitantes, requerido de expulsión a los franceses, y muy pronto se había proclamado dueño sin discusión del escueto dominio? Ella conocía la respuesta; aunque le doliese y sintiera temor, lo sabía: Isla de Lobos era un entorno pequeño, un volcán perezoso y temible, un puñado de rocas negras, un puerto minúsculo y unas pocas costaneras apuñaladas por la piedra filosa de lava endurecida, y casi nada más; pero, al mismo tiempo, Isla de Lobos era el mundo en medio de los mares, la tierra firme para quienes viajaban en sus naves desde lejanos masallases. Todo el mundo, todos los horizontes, todo el país de los hijos de Dios y el hogar de los bichos vivientes que respiran fuera del agua, en muchísimas millas enrededor. El mundo completo, a su alcance y en su mano: eso fue Isla de Lobos para don Augusto Rivero, Primer Magistrado, Ministro Único de la corona en aquella parte de la nada sobre las olas. Por eso llegó y por ese motivo estaba allí, para ser dueño del mundo. ¿Cómo iba ella, mujer humilde nacida para durar el tiempo que Dios quisiese y ser enterrada bajo el mismo suelo que recorrieran sus pasos en vida, a esquivar el deseo sin freno ni cautela del Primer Magistrado, amo de todo lo existente y lo creado y por crear y nacer bajo los cielos en Isla de Lobos?

Pasó algunas noches en vela, atemorizada por los planes que, suponía, estaría haciendo sobre ella don Augusto Rivero.

Algunas noches fueron, aunque no muchas noches. A la semana justa de partir la expedición cazadora de perros salvajes, subió hasta Los Loizos un mandadero del Primer Magistrado, jinete en mula trotona con las patas protegidas con calcillas de pleita y arneses de cuero rojo y pasadores de hierro afinado, tachonados como si fuesen de cobre. Ariadna se alegró de que Manuel Torga, el pequeño Ivo y el viejo Matheus estuvieran de paseo por los viñedos, en el otro extremo de la afincada, comprobando el color de las cepas y probando las uvas para dejar señal donde crecieran más dulces, útiles para la malvasía. De la ausencia del esposo al que nunca fuese infiel, ni pensaba serlo, se alegró la atormentada. Eso le hizo sentir un mal parecido a la culpa.

—De parte de don Augusto Rivero —le dijo el enviado, sin bajar de la mula.

Extendió un pliego rollado y lacrado, con los sellos del Primer Magistrado.

—¿Espera respuesta? —preguntó ella.

—De palabra.

—¿Cómo es eso?

—Lo que el Primer Magistrado me ordenó: «Pídele una palabra como respuesta, una sola», eso dijo.

Ariadna leyó la carta, muy repulida de trazos y sin borrones, redactada con letra aldina en la que sin duda se había esmerado durante horas don Augusto Rivero:

Tú lo sabes y yo lo sé, de modo que es inútil el disimulo, como inútil cualquier objeción por tu parte. Te deseo y quiero colmarte de caricias igual que de todas las riquezas y comodidades posibles en nuestra isla, que no son muchas pero sí bastantes para ti y para mí. Me hago viejo y quiero emprender la cuesta abajo de mi vida amándote y gozando de tu juventud y hermosura. Quiero que tus manos sean mi consuelo, y toda tú mi dicha en este mundo. Y como lo quiero, así va a ser.

Por tu marido, el buenazo y un poco despistado Manuel Torga, no tienes que preocuparte. Lo haré cornudo, cree en ello, pero cuando esto se consume él estará bien lejos, sirviendo a Isla de Lobos y a la corona de España, y no se enterará de lo nuestro. Nunca. Ya lo dice el dicho, muy bien dicho: «ojos que no ven...».

Dentro de poco subiré a Los Loizos, en tu busca. Antes he de resolver algunos asuntos que me retienen aquí, en el habitado del puerto. He dado mi palabra de solucionarlos y yo siempre cumplo lo que prometo. Respecto a ti, bella, amada Ariadna, la promesa solemne queda expresada y certificada. Contra esta resolución no caben apelaciones, ni en primera ni en segunda instancia.

Quedo a tus pies, esclavo de tu hermosura y tu recuerdo.

—¿Qué digo al amo? —acució el jinete tras concluir Ariadna la lectura de aquella bizarra carta de amor.

—Dile... De mi parte... Dile que yo no vine a este mundo para abrirme de piernas cuando a los hombres se le antoje. Para eso están las putas, las negras como su negra Esmeralda, las vecindonas del puerto y los maricas vendeculos. Dile que si se ha cansado de Esmeralda y no le apetece arrimar la tranca a su hija, lo mejor que puede hacer es buscarse un coño cerca de casa y lejos de Los Loizos. Y que se olvide de mí para siempre.

El mandadero partió entre risas. Los caireles de la mula sonaban como dientes de plata chocando entre carcajadas.

***

Hay hombres que nacen para desear y otros para soñar, recordaba nuevamente Ariadna, abrazada leve como un suspiro entre sueños al cuerpo de Manuel Torga, quien dormía bendito de amor y por todo el amor del mundo extenuado. Don Augusto Rivero deseaba. Manuel Torga soñaba.

Él había nacido para soñar. Nuca tuvo las manos ásperas ni llenas de durezas, ni le crecían cercos negros bajo las uñas. Nunca dobló la espalda sobre la tierra porque vivía erguido, contemplando el horizonte como quien interroga a lo inmenso y desafía al eterno sin desesperar una respuesta. Pensaba, imaginaba otros lugares remotos y otros mundos muy distintos a la parca prisión entre mares de Isla de Lobos. Aquellos confines eran la imagen representada infinita como ensueño de un universo que vivía ignorándolos, sin conocimiento ni apenas noticias de que un juntado de humanos, más solos que la luna en decorado de estrellas, sobrevivían en el rincón más pequeño y castigado por las olas y los vientos del Atlántico. Esa idea siempre le atormentaba.

—Nada saben de nosotros —se quejaba a menudo—, y de ellos todo lo ignoramos. Sin embargo, deberían serlo todo. Y cuando digo todo, a todo me refiero, esposa, al mundo de verdad tras este mundo minúsculo y con poca razón de ser donde habitamos. ¿Qué sentido tiene permanecer aquí, amarrados por la soga del destino a una tierra infértil, abrumados por los vientos, acosados por el mar y zarandeados como muñecotes de paja cuando al Volcán le entran caprichos de gruñir? ¿Qué voluntad de Dios o qué discernimiento de los hombres puede haber dispuesto que vivamos en tumulto, prácticamente sin leyes, tanta gente de tantos lugares, todos con poca o ninguna faena a la que dedicarse, vagabundos en un anchurón de tierra negra invisible entre las brumas? Míranos, piensa un instante en todos nosotros, amada esposa —le decía—, piratas y corsos de la morería venidos de la costa africana y del desierto que dura en extenso lo que siete vidas en cruzarlo, acomodados aquí, en Isla de Lobos, sin gana ninguna de partir, como si esta tierra de anécdota fuese nuestro paraíso; ingleses que llevan décadas emborrachando la ofensa de su derrota a manos de La Párouse; negros de Cuba y otras islas grandes y pequeñas del mar Caribe que zumban sus cantos de tristeza junto al prostíbulo donde nunca les dejan entrar, se masturban en medio de la calle y ríen desesperados aunque, eso sí, como hombres libres cuando los apresan, los conducen al fortín sobre la rada y los latigan por obscenidad pública; franceses que deberían abandonar la isla y nunca se atreven al viaje porque saben que en su patria les espera la guillotina; germanos vociferantes, hesianos que roban cera en los panales de tierra adentro para atusarse los bigotes y acudir donde las putas con aires de mercenarios bien plantados y mal pagados... Toda esa quincalla humana es Isla de Lobos, todos esos hombres y mujeres que no saben por qué están aquí ni acatan más certeza que la seguridad de su muerte, cuanto más próxima mejor, porque morir es la única forma de abandonar esta isla.

—Es la verdad, amado esposo —intentaba consolarlo Ariadna—. Puede que el destino sea diferente para las demás personas y pueblos y naciones que caben en los mapas, pero el nuestro es solo uno: a Isla de Lobos se llega, pero de aquí nunca se sale.

—No me resigno —aducía siempre Manuel Torga, como jugador cazado en renuncio que proclama inútilmente: «¡Ni acepto ni pago!»

Otros lugares, cuántos imperios, qué sinfín de ciudades y gentes, reyes y tiranos, Alejandros y Gengis Khanes, santos y no tan santos, pecadores y bienhechores. Cuánto... cuánto había más allá de los siete palmos de Isla de Lobos que él nunca conocería...

Soñaba Manuel Torga. A veces un rastro de complacencia bendecía su semblante mientras fantaseaba. Otras, se le torcía el gesto por la tristeza.

—Ir al mundo, salir de Isla de Lobos —susurraba en los momentos de melancolía—. Vivo o muerto. Vivir hasta la muerte.

Penaba Ariadna por ella y, sobre todo, por él.

Dos semanas después del encuentro con el emisario de don Augusto Rivero, Ariadna tuvo noticias del Primer Magistrado. Las llevó a Los Loizos un arriero más antiguo que su carromato, quien cumplía obligación con la afincada por una deuda de juventud que contrajo con Matheus, cuando él y el mismo capataz aún podían contar sus años sin perder la cuenta.

—Tal como ha sucedido, lo relato —expuso con grande elocuencia y pompa, tal cual sabiéndose portador de noticias importantísimas—. Don Augusto Rivero, Primer Magistrado y Ministro Único de Isla de Lobos, ha perecido.

—¿Cómo es ello? —le preguntó Matheus, con más curiosidad que conmoción por la noticia.

—Fue culpa de los pescadores del puerto, esa panda de avariciosos llorones —continuó el arriero—. Llevaban mucho tiempo quejándose por la merma en sus capturas, a causa de la voracidad de los lobos de mar que hacen manada en Playa Grande. Esos bichos zampan en un día lo que aquellos de los barcos de pesca tardan dos semanas en capturar. Les dejan el mar esquilmado, por así decirlo.

—¿Y qué tiene que ver una cosa con la otra? —insistía Matheus.

—El Primer Magistrado les prometió una matanza de lobos, parecida en saña a la que sus guardiamarinas hicieron de perros salvajes, aquí en las tierras altas, hace bien poco. Y como don Augusto Rivero era hombre de cumplir su palabra sin saltarse una sílaba, organizó el acoso y batida hace cuatro días. Como es natural y por costumbre de sobra conocida, él mismo comandaba la partida de exterminio. No se sabe con certeza cómo sucedieron las cosas, pero el caso fue, al parecer, que en un lance fatal de la escabechina, cuando ya los fusileros de la Santa Ignacia y otros reclutados para la faena habían dado puntilla a un montón de esas focas tragonas, se vio solo y rodeado de ellas nuestro Ministro Único. No lo cercaban con buenas intenciones, como puede suponerse. Don Augusto Rivero intentó evadirse saltando de roca en roca, pero un tropezón le hizo caer al agua. Allí, entre muchas de aquellas bestias lo asediaron, lo hundieron, jalaron de él mar adentro, lo ahogaron y creo que se lo comieron.

—Tonterías —contradijo Matheus al arriero—. Los lobos de mar no comen carne humana.

—Pues se lo comerían los peces. El caso es que del gran hombre no quedaron rastros. Ni los huesos mondos devolvió la marea a Playa Grande.

Matheus soltó una carcajada. Después, un poco arrepentido por su falta de piedad, aunque no muy arrepentido, se santiguó.

—*Sic transit gloria mundi* —susurró. Y salió corriendo hacia la casa de Manuel Torga para llevar la noticia.

Por la noche, en el dormitorio matrimonial, Ariadna lloraba de rabia. Lloraba de soledad porque justo dos días antes de la batida de lobos en Playa Grande, el francés La Párouse había partido, expulsado de la isla por el Primer Magistrado. Y con él, llevador de despachos para la corona de España, su esposo Manuel Torga. El mismo Augusto Rivero le había encomendado la importantísima misión. El mismo Manuel Torga, ausente para siempre, temía ella, se había despedido sin lágrimas en los ojos, con la promesa de encontrar la respuesta a sus anhelos por el mundo en aquel viaje tan largo. Estaba convencido de que regresaría.

Lloraba Ariadna, musitando el nombre de Manuel... Manuel Torga, hombre de imaginaciones luminosas e impaciencias del demonio, se quejaba, maldecía la esposa. Hombre valiente e imprudente. Entre sollozos repetía su condena, su mal perpetuo: a Isla de Lobos se llega, pero de la isla jamás se sale.

Aunque Manuel Torga había prometido volver.

Ahora, confortada por el sueño que muy poco a poco la acogía rendida y tranquila, seguía muy junto al esposo, un cuerpo unido al otro como si los dos respirasen el mismo aire y exhalaran su calor por los mismos poros; como si en el fondo temiera que el mismo sueño, la irrealidad de ilusiones y milagros imposibles que hicieron regresar a Manuel Torga, volvieran a arrebatárselo.

Amanecía cuando al fin se dejó acunar por las revelaciones imperfectas y las grandes emociones sin conocer que hacen sombra, buena o mala, en los consuelos del sueño.

Continuaba abrazada a él.

— XI —
Viajeros

Al capitán del Circe le habría gustado tener nombre, y que la tripulación, oficiales y marineros, le llamaran y conocieran por ese mismo nombre, y no tuviesen que dirigirse a él con el aburrido *capitán*, fastidioso después de tantos años de barlovento y sotavento y ningún destino. *Capitán* es título de respeto que evoca aventura, viajes largos, alguna tronada de cañones en alta mar y algún misterio contra el que medirse el valor de un hombre, pero también es rango administrativo, término de escribanía y contrato mercantil, palabra sin más fondo ni emoción que la tinta, la firma, sellos y membretes en pliegos de archivo. Pues su empleo de capitán y el nombre de su barco, porque su barco sí tenía nombre, concretamente *El Circe*, acumulaban polvo y hebras de telaraña en el arcón de los olvidados, los perdidos en alta mar, y desde hacía tanto tiempo que ni los más antiguos de la Compañía de Comercio Transatlántico recordaba cuándo se archivó el expediente. Sí, muy verdadero: le habría gustado tener nombre, un nombre sonoro y simpático, de marino recio de sal y horizontes, bonachón con los suyos, indiferente a la adversidad, implacable con la insubordinación, comprensivo ante los humanos errores y las leves faltas cometidas por leve atención al deber. Un nombre de casta, de raza marinera, como Agustín Navarrete, por ejemplo, o Víctor Requejo, o Diego Carrasco. El capitán

Carrasco, don Diego Carrasco..., el capitán Requejo.... Habrían sido nombres muy acomodados a su oficio y destino. Pero, bien lo lamentaba, ni el relator que relata estas páginas ni el Hacedor Supremo que todo lo tiene en mientes, incluidas estas páginas antes de que existieran y las que quedan para concluir la narración, habían pensado un nombre para él. No contemplaron el detalle de que un capitán en su barco, sobre las aguas océanas, necesita no solo un nombre, sino un buen nombre. No cayeron en esa cuenta. De tal modo, sin nombre quedó el capitán del Circe y con *el capitán del Circe* tenía que conformarse.

De otra manera no lo podemos llamar, por tanto. Era y va a seguir siendo el capitán del Circe. Ahora bien, yendo a lo que se va y se quiere referir, que ya es hora, se dirá igualmente que el capitán del Circe, después de años y décadas de mantener la proa a norte y oeste, de perderse en círculos y corrientes viciosas que condenaban al navío a encontrarse cuatro veces con el mismo banco de sargos molineros, tras sufrir toda esa calamidad con sus momentos de brío y sus épocas de desaliento, de lucha y desesperación... Al cabo de tanto esfuerzo y tantísimo infortunio, una mañana radiante de no se sabía qué mes ni que año, alzó el catalejo, oteó lejanías sobre las aguas y avistó de nuevo Isla de Lobos.

—Ramírez... —llamó a su primer oficial, quien acudió con mucha diligencia al puesto de proa.

—Mande usted, capitán nuestro.

—Tenemos tierra a la vista.

—¡Bendito sea Dios y bendita su Providencia!

—Isla de Lobos, concretamente —anunció el capitán del Circe—. Estamos aquí, como siempre.

—¡Maldito sea el diablo y malditas sus maldades! —clamó Ramírez, primer oficial del Circe, con su nombre puesto a tiempo y como es debido.

El capitán, sometido otra vez y sin mayores lamentos al cerco del desengaño, cerró el catalejo, lo entregó a Ramírez con aires de condolencia y abandonó el oteo desde proa. Bajó al camarote, abrió el Diario de Navegación y escribió dos líneas en letra inglesa:

«Isla de Lobos al noroeste, dos leguas y media. Posición ut supra. Fecha incógnita. La marinería no tardará mucho en amotinarse».

Con nombre o sin nombre, cualquier capitán sabedor de su oficio conocía la paradoja, de tantas veces como las crónicas de singladura e incluso la propia experiencia habían confirmado: no hay nada peor que la marinería embarcada. Un marinero en tierra firme sirve para todo, lo mismo va que viene, come, bebe, duerme y si hace falta trabaja en faenas de estiva y otras de bucanería sin apenas quejarse, casi siempre obediente, a menudo disciplinado. Pero en la mar, un marinero es medio polvorín con mecha prendida, y en cuanto se junta con otros en el mismo lamento de penalidades forman el completo arsenal. En tierra firme hay de todo. En alta mar, todo falta. Si hay lluvia se recoge agua, pero acechan amenazas de temporal, quizás el ciclón y el desastre, naufragio y muerte. Tiemblan de ansiedad y rezan con miedo de niños furiosos mientras se emborrachan y esperan que pase el agua dulce de los cielos. Que nunca falte agua dulce en alta mar, y que nunca haya de más. Agua y alimento, vino sin resaca, tiempo despejado sin sol que abrase sus pieles, viento sin huracán, letrinas sin hedor, lechos sin piojera, puerto seguro sin guardia costera que los ande buscando. En el mar, todo son llagas. La vida del marinero es queja, y tenerlo tiempo y tiempo, meses después de muchos meses sin llegar a destino, es la peor de todas sus condenas. Un marinero, por viejo y experto y resabiado en estas calamidades que sea, es como una maquinaria de cristal: funcionará a modo mientras se cumplan los términos de su compromiso y la singlada vaya por sus cauces más o menos previstos... Pero teman los mortales, el capitán y la oficialía, el contramaestre y el timonel, los escribientes y administradores y accionistas de la compañía ultramarina, todos ellos teman lo peor si el periplo se alarga más de tres o cuatro días, o si un mal encuentro con rayos y centellas causa averías a la nave, las cuales, a su vez, hagan la vida a bordo más incómoda de lo que ya es de por sí; teman a los supervivientes de un naufragio más que a las tribus despellejadoras del Orinoco, pues se cuenta, y si se cuenta es porque hay verdad en el cuento, que nada más llegar a costa los que se libraron de morir ahogados, sin explorar entornos ni pedir auxilio a posibles lugareños, determinan de inmediato que es necesario beber agua de lluvia y comer lo primero que se tenga a mano, y si no llueve beben la sangre de los oficiales que pudieran haberse salvado del hundimiento, y el condumio lo avían rápido: se zampan a la autoridad antes de lo que tarda un sacerdote en decir «amén». De tal modo, así caníbal, queda la desgracia vengada y el mundo y todos los mares que hay en el mundo un poco más satisfechos y en santa crueldad, y todos contentos.

La marinería en el mar, pensaba el capitán del Circe, es peor que la infantería en el infierno. Solamente por una razón no se habían amotinado aún los suyos: llevaban cuatro vidas errabundos y estaban tan perdidos como él, en ninguna parte del océano, y después de degollarlo y colgar sus tripas de las jarcias, y echar por la borda a Ramírez y demás superiores del navío, se habrían mirado unos a otros y comprendido que continuaban en el mismo descalabro, en idéntica desesperanza de llegar a parte alguna. No se amotinaban porque el pecado les aparejaría la más insoportable penitencia: reconocerse igual de insignificantes, sin día de redención ni castigo, navegando sobre la nada hasta el final de los finales, contra el viento de día que sala la piel, contra el viento de noche que hiela los ánimos.

«No tardarán mucho, sin embargo», barruntaba el capitán del Circe. «Cuando, tiempo mediante, la locura acabe de adueñarse de sus corazones, y ya no existan ni la tristeza ni el miedo ni el desaliento, suplantados al abordaje por la ira y la saña, dispuestos a acabar con todo y con ellos mismos, la muerte triunfará y se proclamará señora de los mares a bordo, guiando para siempre el timón del Circe». En eso pensaba. Temía no por sí, sino por una última, humilde rebeldía atrincherada en su ánimo contra las potestades de lo adverso.

«Se amotinarán...», pensaba. «A menos que...».

En el castillete de proa, con la vista fija en el horizonte, el primer oficial Ramírez susurraba al cuello de su camisa: «A menos que pudiésemos convencerlos de que volver a Isla de Lobos, desembarcar y establecernos hasta mejores tiempos, es mal menor que a todos nos conviene. Isla de Lobos, se piense como piense, no deja de ser tierra firme. Y lo que más ansía un marinero embarcado, nada más poner los pies en cubierta, es el regreso. Volver al hogar del que partió o, maldito sea Satanás, volver a alguna parte. Aunque sea a Isla de Lobos».

En ese mismo instante, dos leguas y media marinas al noroeste, bajo la sombra del volcán que nunca dormía, despertaba Ariadna en brazos de Manuel Torga. Desperezaban ambos, se estiraban cuerpo contra cuerpo, insistiendo en la renovada sorpresa y el goce de hallarse juntos tras el sueño. Se besaban y volvían a amarse con detenida avidez, una delectación en la que ella traducía su amor por el esposo añorado y regresado del mar, parsimonia de caricias con que él agradecía un presente de ternura y pasión que quizás mereciera, aunque nunca estuvo seguro de qué méritos hubo en su existir, qué virtudes y aciertos, para ganar el privilegio de que ella, la mujer más hermosa de Isla de Lobos, fuese su mujer y lo amase y se le entregara en aquel júbilo de almas renacidas.

Después quedaron en silencio, confortados en el abandono de cuanto hubiese más allá de los dos, escindidos del mundo para entibiarse en el aliento y el sutil sudor del otro, mezclados aliento y sudor como se funden el agua y el deseo, el vino y los corazones que aman.

Ariadna, al cabo de un rato, dijo suavemente, con un acento de melancolía en su voz:

—Desde aquí no se escucha el mar. Esta casa, esta habitación, son el único lugar de la isla donde no resuena el oleaje.

Él respondió con un beso, como pidiendo perdón por los muchos años que ella estuvo escuchando al mar y esperando su retorno.

—Y de Ivo y el día en que nació... ¿Te acuerdas?

—No. Lo siento —respondió Manuel Torga. No se atrevió a volver a besarla.

—Cuando te fuiste de Los Loizos aún no sabía andar. Ahora, ya lo has visto. Es un muchacho casi tan alto como su padre.

—Y más fuerte que yo, sin duda —dijo Manuel Torga. Tuvo la enojosa sensación de estar haciendo un cumplido.

—Anda siempre de aquí para allá, tan inquieto como tú eras —insistió Ariadna—. No le interesan los trabajos de la afincada, ni los viñedos, ni andar con los arrieros que llevan nuestras cosechas al habitado del puerto. Solo una obsesión le llama: seguir el rastro de los perros salvajes y cazarlos con su arco. Es un muchacho extraño...

No parecía preocupada ni afligida. Sencillamente, señalaba la rareza en una tierra que, de por sí, era dada a anomalías e incluso a alguna que otra extravagancia.

—Tú no trepabas a los árboles para acosar perros ni ningún otro animal, ni cazabas, ni usabas el cuchillo para despellejarlos. Pero también eras antojoso. Pasabas el día embobado, contemplando el rompiente de las olas, allá abajo, tan lejos de nuestra casa. En ocasiones, susurrabas a media voz.

Manuel Torga no supo qué responder. Dudó incluso de que ella esperase una contestación.

—Siempre tuve curiosidad por aquellos discursos que te dedicabas a ti mismo.

—¿Y qué decía en esas peroraciones?

Ariadna se echó a reír.

—Ni idea. Nunca te lo pregunté.

—Pues el caso es que yo, ahora mismo, tampoco sabría decirte. No lo recuerdo —se excusó Manuel Torga.

Asentía Ariadna. Se resignaba al destino de esposa que tiempo atrás fue abandonada por causa de las maquinaciones del Primer Magistrado de Isla de Lobos. También se dolía y se alegraba por haberse enamorado de un hombre que miraba el horizonte y hablaba a solas.

—Cuando te fuiste, lo anunció el bueno de Matheus.

—¿Qué cosa predijo?

—Que un hombre parlanchín consigo mismo siempre es sincero y siempre cumple su palabra. Tú prometiste volver, y has vuelto.

Volvieron a abrazarse. En cada beso morían de ganas de besarse.

— XII —
La desaparición

—Esto es un contradiós, un absurdo, una maquinación de los infiernos... —clamaba, bufaba y despotricaba doña Aguas Santas Rivero—. ¿Cuándo se ha visto que el mar se embrave y coma la tierra igual que un perro engulle un trozo de pan? ¿Qué república es esta? ¿Qué desbarajuste? Y sobre todo... Maldita sea la trigonometría... ¿Quién carajos es responsable del estropicio?

Reunidos en la Sala de Riñas y Tumultos, los citados para el debate por doña Aguas Santas Rivero aguantaban el discurso como quien espera medroso en una esquina cubierta a que amaine el temporal. Eran casi los de siempre: por una parte, a la que llamaremos de expertos en doctrina y sapiencia, estaban el geógrafo don Sebastián, el santero Sanaperros y don Manuel de Garceses, presbítero de san Atila; de la otra, la de prácticos en el terreno, comparecían Ramiro, vigilante de mares, y un alférez de embarcados, de nombre Juan Robledo, quien sustituía al polaco Jaruzelski en la tarea de mantener orden en la reunión y, por supuesto, que nadie incomodase más de la cuenta ni llevara la contraria más de lo debido a la Ministra Única y Primera Magistrada de Isla de Lobos.

Se echa en falta a Jaruzelski, como es lógico, mas he aquí que esta ausencia ilustra con nitidez y, en realidad, fue originaria advertencia sobre el cataclismo, el motivo de la reunión. Jaruzelski no está porque el mar se lo ha llevado, igual que ha empezado a engullir la isla poco a poco.

—Ah... Malditos, bastardos...

—Doña Aguas Santas, un respeto —protestó enérgicamente don Manuel de Garceses—. Apelo a la dignidad eclesiástica y el decoro en sus tratos con la autoridad civil para rogarle que retire esos epítetos.

—¿Cuáles?

—Los que acaba de proferir: malditos y bastardos.

—Qué bobada.

Decrépita como siempre y cansada como nunca, recomida y atizada por siete noches en vela y siete días de bramar su enojo, doña Aguas Santas Rivero contestó con una mueca de desdén a los escrúpulos del sacerdote. Y a la mueca añadió unas cuantas palabras:

—Lo he dicho y lo repito, malditos y bastardos; y no me replique usted ni me enmiende el discurso porque igual sale apaleado de mi casa. Me importa el cuerno de un grillo que vista los hábitos, sépalo.

Lanzó una mirada de advertencia al alférez Robledo, quien engullía saliva como si tragase arena, temeroso de que la señora, a quien debía obediencia sin condiciones, le ordenase descalabrar a don Manuel de Garceses. El tal Juan Robledo era soldado de lealtad probada, pero también hombre temeroso de Dios y muy mirado con el clero. No estaba su conciencia, ni nunca lo estuvo, para dilucidar y resolver estas complicadas disyuntivas morales del «A Dios lo que es de Dios, y al César lo que es del César».

—Por todos los diablos —continuaba ella en su queja—. Si estuviese aquí mi buen Jaruzelski ya le habría ordenado que midiera las costillas a todos los presentes, así de entrada. Unos estacazos preventivos, pues más valen dos palos al mudo y todavía inocente que darle oportunidad de abrir la boca y ganarse treinta y tres.

Pero Jaruzelski no estaba y nunca más estaría.

Sucedió que una semana antes, en mañana de mercado, compareció Matheus en el habitado del puerto, con nuevas muy llamativas sobre el náufrago Manuel Torga y su estancia en Los Loizos, y otras sobre el Volcán y su silencio, lo que a decir del viejo capataz no auguraba nada bueno. Como en Isla de Lobos las noticias corrían y llegaban a oídos del interesado antes de que el mensajero acabara de pregonarlas, la Primera Magistrada y Ministra Única se enteró enseguida de que Manuel Torga no pensaba volver y presentarse ante ella, tal como tenía mandado, lo que enfureció bastante a la dama. Los pronósticos sobre la calma aviesa del Volcán tampoco le gustaron ni un poco.

Esperó media hora a que se le pasaran los primeros calores del berrinche y después llamó a Jaruzelski. Le encargó que reuniese una fuerza de cinco guardiamarinas, con él media docena, armaran en Playa Grande alguna chalupa y se dirigiera la expedición, a remo y vela, hasta el costero de la Cruz, muy próximo a Los Loizos. Ordenó igualmente doña Aguas Santas Rivero que, una vez tomada posición y anclada la nave, incursionase la fuerza armada en tierras que el capataz Matheus reputaba propiedad de Manuel Torga, y lo tomasen preso, lo subieran maniatado al mismo bote, con cadenas... Era importante que fuese encadenado... Y lo condujeran sin demora hasta el puerto de Isla de Lobos, y de allí a su casa. Ya se encargaría ella, en el mismo lugar y en el momento indicado, de hacer al náufrago la justicia que merecía, por haberla desobedecido y, posiblemente, por unos cuantos delitos más.

—Ese desgraciado que llegó desnudo a nuestras costas, se dice ahora propietario de las tierras más prósperas de Isla de Lobos —instruyó a Jaruzelski—. O sea, que dispone y ordena a su antojo en una parte de mi isla, incluso se permite declinar mis órdenes. Y en el colmo de la desfachatez, nos envía a un anciano campesino para que traiga las noticias que yo le reclamé personalmente. La ofensa no tiene perdón, Jaruzelski.

Asintió el polaco como siempre. Si doña Aguas Santas Rivero le hubiese notificado que el mundo es cúbico y la luna un agujero en los cielos, por culpa de algún cañonazo perdido en batalla nocturna, él habría acatado sus palabras con la misma convicción.

—Seguro que lo sabía mi esposo y padre, el grande Augusto Rivero, y ahora lo he confirmado: Manuel Torga no es trigo limpio, es uno de esos que pasan la vida cavilando en misterios, soñando con el mundo más allá de este mundo y, seguro, pensando la manera de fastidiar el orden natural de las cosas, o sea: joderme. No me extrañaría que ahora, retornado del océano y devuelto a sus dominios, pretendiera discutir mi soberanía absoluta sobre Isla de Lobos. No me extrañaría que el muy ingrato, un día de estos, cuando menos lo espere, se proclame Ministro en sus pagos, o virrey, o rey incluso. ¡Intolerable!

Lo de ministro, virrey y, no digamos, rey, sonó inverosímil, muy extraño a Jaruzelski. Aun así, como era debido, aceptó sin rechistar las órdenes de su ama y no tuvo nada que sugerir. Con lo cual se deja constancia, una vez más, de que Jaruzelski era hombre de pocas palabras, más bien de ninguna palabra; y su única razón de estar en el universo era obedecer lo que doña Aguas Santas Rivero le mandase. Asimismo, sirva este último párrafo como alegato responsorio sobre el polaco, pues lo que ha de sucederle no es bueno. Tampoco a sus compañeros de expedición punitiva. Ciertamente, no hubo quien les dedicase triste epitafio ni modesto

RIP. Parece que el destino siempre trata con más desapego a los más leales.

Ocurrió en consecuencia lo ya anunciado. Reunió Jaruzelski la tropa indicada por doña Aguas Santas Rivero, se aprovisionaron de armas, proyectiles y pólvora, también de comida y agua que calcularon para tres días entre ir y volver de Los Loizos; juntaron compañía y arsenal en Playa Grande, subieron al batel ya aprestado y estibado. Y en cuanto halaron remos y la velucha de la pequeña embarcación empezaba a preñarse... de la misma panza del océano surgió una ola y se los tragó para siempre. El farero Ramiro fue testigo de la catástrofe.

—Lo malo no fue eso, no solo eso, señora ama mía —se explicaba el contador de olas—. Lo malo de entre lo malo fue que el embate de las aguas, además del barcucho donde Jaruzelski y su milicia apenas iniciaban periplo, se llevó mar adentro un trozo de playa. Y desde ese día han llegado bastantes más de esas olas, las cuales, nada más romper la cresta y expandirse furiosas de espuma, se retiran a la panza del océano tras devorar un trozo de isla. A este paso, señora ama nuestra, en pocas semanas nos quedaremos sin tierra firme que sujete nuestros pasos.

—¡Maldición mil veces! —Doña Aguas Santas Rivero espantaba su temor y su rabia a gritos—. ¡Aquí hay una mala voluntad cruzada, un hechizo, una conspiración del diablo! ¿En qué cabeza de cristiano temeroso de Dios puede concebirse que nuestra isla acabe siendo engullida por el mar? Veo la mano del maligno, la inspiración de los infiernos, una gran maldad de rezadores satánicos en este caos.

—Se han dado casos a lo largo de la historia —intentó argumentar el geógrafo don Sebastián—. No sería la primera vez que el océano eleva su nivel y, por desgracia, sumerge sin remedio a islas menores como la nuestra.

El santero Sanaperros no quiso demorar su opinión. Para algo estaba allí, convocado por doña Aguas Santas Rivero. Tosió un par de veces para aclararse la garganta y dijo muy pomposo:

—Esto va a ser un acabamiento del mundo.

—¡Tonterías! ¡Supersticiones! ¡Herejías! —replicó al instante don Manuel de Garceses—. ¿Qué fin del mundo ni qué niño muerto? ¿Con qué autoridad y saberes proclama usted, osado Sanaperros, semejante disparate?

—Con la autoridad de muchos años de oír y conocer el susurro de los vientos, el habla del oleaje, el rumor de animales furtivos que campan de noche por toda la isla y refieren unos a otros los secretos del orbe natural, la realidad más allá de nuestra comprensión humana. Con la autoridad de la experiencia hablo, de ser y estar en el mundo más allá +de las puertas de su iglesia; la que, por cierto, solo abandona usted cuando lo invitan vecindonas del habitado del puerto, para merendar dulces de nata y catar malvasía recién sacada de bodega.

Don Manuel de Garceses agachó la mirada, juntó las manos y susurró una corta, sentida plegaria:

—Dame paciencia, Dios mío, Señor mío, para soportar con caridad y resignación la ignorancia de mis semejantes, la altanería de los descreídos y la estupidez de los necios. Paciencia.

—Estoy con don Manuel —insistió el geógrafo—. Estos sucesos no presentan en sí ninguna característica sobrenatural. Por el contrario, pueden explicarse científicamente.

—¡Ni científicamente ni lagartos espachurrados! —exclamó, toda contrariada, doña Aguas Santas Rivero—. Ni me bajo del sillón ni me apeo de la convicción repentina que tuve sobre estas perturbaciones. Dicen por ahí, y si se dice por algo será, que la primera impresión es la más sabia, la que más nos revela sobre las personas, las cosas y los hechos de este mundo. Y mi primera reacción en cuanto supe del fenómeno, óiganlo bien los convocados, fue pensar en un endemoniamiento. Y por eso mismo llamo malditos y bastardos a los que estén en la conjura. Porque a lo mejor son más de uno, frotándose las manos en cualquier rincón siniestro, mientras Isla de Lobos se va a pique.

Puso un acento suspicaz en la última frase, dejando entrever que ya tenía ella pensado, y posiblemente dilucidado, el asunto. Ya había en sus mientes algún candidato a culpable de todos aquellos males.

—No puedo contradecir su última opinión, doña Aguas Santas —dijo el presbítero de san Atila—. Una cosa es hablar del fin del mundo sin ton ni son, a tontas y a locas, como hace nuestro amigo Sanaperros, y otra averiguar si una fuerza maligna se cierne sobre nuestra isla.

—¡Lo que me quedaba por oír! —objetó Sanaperros—. De modo que el océano merma y merma a Isla de Lobos, se la traga a cachos, y para usted no es el fin del mundo. Pues sepa que para los demás sí lo es. O al menos lo parece.

—No me malinterprete, santero de santos inventados, charlatán de plazoleta —le reprochó don Manuel de Garceses—. No haga traducción sesgada y embustera de mis palabras.

—¿Charlatán yo? —replicó muy ofendido Sanaperros—. ¿Acaso usted no charla y charla sin llegar nunca a conclusiones fundadas? Niega usted el Apocalipsis, que es una historia verídica escrita en el Libro de las Verdades Verdaderas, o sea, la Santa Biblia. Eso lo niega, pero está dispuesto a creer en encantamientos, maldiciones y echaduras de ojo contra la isla. ¡El colmo! Sería para reír, si la situación presente no resultase tan aciaga y de tan poca risa.

—Ah, mentecato. Ah, blasfemo... —comenzó su dúplica don Manuel de Garceses. Sanaperros lo interrumpió:

—Blasfemo y mentecato será su eminencia, por muchos hábitos que lleve encima y por mucho tiempo que haya ejercido el presbiteriado de san Atila.

—¡Basta! —zanjó el debate, provisionalmente, doña Aguas Santas Rivero—. No he mandado llamar a la concurrencia para perder el tiempo con disputas que ni vienen al caso ni son de utilidad. Sepan sus mercedes que ahora mismo, hoy, en este preciso momento, las acometidas del océano y su robo de la isla porción a porción, suponen un problema muy serio. Una calamidad real que nos afecta a todos, y no poco. Y cuando digo todos, me refiero a los presentes y a los que andan por ahí fuera, consternados, aterrorizados por la idea de quedarse sin un lugar en el mundo donde vivir y condenados, en el mejor de los casos, a vagar por los mares hasta el fin de sus días. Aunque la mayor parte de ellos, si la isla desaparece, morirían igual que palmó la humanidad durante las lluvias de Noé. Por desgracia, no tenemos un arca donde quepan todos y pueda echarse a los mares el censo completo de Isla de Lobos, a navegar sin esperanza, como exilados sin destino y sin Dios.

—Eso nunca —musitó algo contrito don Manuel de Garceses—. Sin Dios, nunca.

—A ver, alférez Robledo —prosiguió ella—, informe de la situación a los presentes y, de paso, actualice mis noticias al respecto.

El militar dio un paso al frente. Se cuadró ante doña Aguas Santas Rivero, inclinó la testuz en ademán de respeto e inmediatamente se dirigió a los reunidos con voz poderosa, de retreta y orden del día en formación de cuartel.

—A la fecha, según informan los guardiamarinas destacados en puntos estratégicos, desde los que puede observarse el acoso a la isla por las aguas indómitas, se han producido más de un centenar de esas olas que restan territorio a los dominios de doña Aguas Santas Rivero. El total de lo despojado sería, aproximadamente, unas siete millas cuadradas, lo que viene a suponer un cuatro por ciento de nuestra superficie habitable.

El geógrafo don Sebastián, sin saber porqué, rememoró en aquellos instantes un viejo grabado, heredado tras encargarse de liquidar los bienes del infeliz librero Secundino, casi todos ellos documentales. Recordó aquellos trazos antiguos con una nitidez turbadora. *La flagelación del Helesponto.* Pensó para sí: «Eso mismo haría falta para aplacar la furibundia del basilisco que manda en Isla de Lobos, una buena flagelación de los mares». Tal como lo pensó, lo calló.

—En lo que respecta a los habitantes de la isla, se van produciendo reacciones muy notorias —continuó el alférez Robledo con su exposición—. Los ingleses que moraban al norte de Isla de Lobos, advertidos del peligro, pues allí las olas voraces dieron unos cuantos poderosos bocados, han emprendido migración hacia el habitado del puerto, la mayoría en barcas y los menos a pie, isla a través, por sentirse más seguros en tierra firme a pesar de que muchos pobladores los acosan a pedradas y los campesinos les azuzan perros. Cargaron sus alambiques para destilar ginebra, los antiguos petates y artes de pesca, cuantos pertrechos les parecieron útiles, y aquí los tenemos ya, a casi todos.

Renegó doña Aguas Santas Rivero:

—Desgraciados ingleses… Si el imbécil de La Párouse les hubiera dejado un barco sano, mi marido los habría puesto en ruta, mar adelante, y hubiéramos quedado libres de ellos para siempre.

El alférez Robledo no hizo mucho caso de aquella observación. Continuó relatando:

—Los moros de Mauritania y de donde no es Mauritania, aunque moros también son, andan un poco alelados, muy dados al rezo con sus ritos particulares. Alguno de entre ellos ha predicado que este disgustarse el mar con la tierra es castigo que les envía su Dios, el tal Alá que gloria haya, por los muchos pecados que cometiesen durante todas las épocas que llevan instalados en Isla de Lobos; pues han bebido ginebra, aguardiente y vino como el que más, han fornicado con prostitutas, han jugado naipes y de vez en cuando se daban a sodomías.

—Tanta información no me es precisa —reprochó doña Aguas Santas Rivero el detalle.

—El caso es que se encuentran a sosiego. Asustados, como todo el mundo, pero en calma y más dedicados a la penitencia que a otra cosa. Los demás, alemanes y hesianos, caribeños y otros nómadas, al igual que los establecidos en el habitado del puerto, se juntan más cada día por los alrededores del embarcadero, previendo que al final, si no se encuentra o surge un remedio espontáneo al cataclismo, se verán obligados a tomar plaza en cualquier barco y escapar como puedan del hundimiento de Isla de Lobos.

Concluyó el alférez en seco. Volvió a dirigirse, marcial y hasta un poco estirado, a doña Aguas Santas Rivero.

—Y eso es todo cuanto puede referirse hasta la fecha. A las órdenes de su señoría quedo para futuras diligencias, averiguaciones e informes de situación.

Hubo un silencio largo en la Sala de Riñas y Tumultos. Doña Aguas Santas Rivero cerró los ojos, como si el discurso de Robledo la hubiese agotado y necesitara echar una cabezadita. Mientras tanto, los demás cruzaban miradas de desánimo, también de recelo. Ciertamente, recelaban que entre los reunidos, y aunque se llamase y escuchara la opinión de muchos más expertos en la materia, en el caso de que los hubiese, no lograrían hallar respuesta plausible ni explicar siquiera a medias la causa del infortunio. Estaban solos en el lugar más solitario del océano, todo lo ignoraban sobre su futuro y, lo peor de su congoja, nada podían averiguar sobre las trazas de aquel mismo futuro. Únicamente les quedaba una salida: imaginarlo espantoso.

Doña Aguas Santas Rivero espabiló del breve vahído, chasqueó la lengua, se frotó las manos. Los miró uno por uno. Clavó su mirada en la de don Manuel de Garceses. Así le habló:

—Necesito oír de la pe a la pa, desde su alfa a su omega, las opiniones del caballero presbítero, sin que nadie interrumpa. ¿Has oído bien, Sanaperros? ¡Ni una palabra mientras habla el sacerdote!

Asintió Sanaperros, más contristado que atemorizado.

—Oigamos a don Manuel, entonces. Díganos, ¿qué decía y refutaba sobre el fin del mundo, alegando más sensato sospechar en el entuerto alguna metida de pezuña de Lucifer?

Don Manuel de Garceses inició su sermón en voz baja, muy humilde, en tono didáctico y bastante compasivo, como si se dirigiera a un auditorio de niños díscolos pero de buen fondo, asustados por alguna verdad repentina sobre la vida, de esas que muerden el corazón de la infancia y obligan a escuchar muy atentos a los mayores, tan seriecitos, tan niños anhelantes de un consuelo y una seguridad que, sospechan, nunca han de volver a su ánimo.

—Decía, señora Ministra Única, que esto de acabarse el mundo no es asunto para tomarlo a la ligera, ni mucho menos. Para llegar a la conclusión de que nos encontramos en vísperas del Juicio Final, tendrían que haberse producido cataclismos y portentos mucho más inexplicables que el menguar de Isla de Lobos por causa de la lamida del oleaje, un fenómeno no tan extraño, como decía nuestro geógrafo don Sebastián. Cuando los fenómenos pueden explicarse con razonamientos de este mundo es porque, sin duda, pertenecen a este mundo y poco o muy poco de sobrenatural hay en lo discutido. Por abreviar, doña Aguas Santas, pues no estamos para perder el tiempo, como usted misma ha dicho: ¿Dónde están los cuatro jinetes apocalípticos? ¿Dónde los tres que, por permisión divina, someterán a la humanidad con las plagas del hambre, la guerra, la peste y las fieras de la tierra? ¿Y qué me dice de la resurrección de los muertos? ¿Y el inicuo Anticristo? ¿Cuántas señales verdaderamente prodigiosas hemos contemplado en los últimos tiempos, es decir, desde siempre? Ninguna, doña Aguas Santas. Ninguna.

Observó don Manuel de Garceses a los demás, adivinando en el visaje de cada uno cómo eran acogidas sus palabras. Se animó para continuar.

—Ahora bien, señora Primera Magistrada, amigos míos... Que todo esto pueda explicarse con argumentos de lo humano, tal como impetra don Sebastián, no quiere decir que, al mismo tiempo, no merodee por ahí alguna voluntad endemoniada, algún perverso que haya invocado a las fuerzas del mal o, peor aún, haya hecho pacto con el mismo Satanás para llevarnos a todos a la perdición. Eso nunca puede descartarse. El mal nunca duerme. —Miró de reojo a Sanaperros—. Nunca cede ni se rinde, jamás descansa. Teje y trama sus argucias con paciencia de mil diablos, con la minucia sin prisas de quien dispone de la eternidad para cada uno de sus planes. Eso es verdadero. Eso también puede leerse en la Santa Biblia. —Miró de reojo a Sanaperros—. A esa desgracia sí debemos temerla porque es tan cierta, o puede serlo, como que ahora mismo nos encontramos reunidos y yo me llamo Manuel y doña Aguas Santas Rivero se llama doña Aguas Santas Rivero.

Volvió a mirar a Sanaperros, quien agachaba la coronilla y negaba con muy leve, apenas perceptible, movimiento de cabeza.

—Contra ese mal haríamos bien en prevenirnos, por prudencia y, quiera Dios, como remedio a la perdición de Isla de Lobos. Recemos, organicemos todas las misas solemnísimas que sean precisas, haga confesión de sus pecados todo natural o avecinado en la isla, vayamos al sacramento de la comunión, saquemos la imagen venerada del buen san Atila, que en paz descanse, en procesión por el contorno completo de estas tierras solitarias entre las aguas inmensas, entreguémonos a la penitencia... Recemos, sí. Recemos mucho, con verdadera contrición. Oremos todos y roguemos con humildad el perdón de nuestras faltas.

—Es suficiente —interrumpió doña Aguas Santas Rivero la discreta euforia penitencial del presbítero—. He oído cuanto necesitaba.

Guardó el sacerdote la lengua tras su blanca, robusta dentadura. Juntó las manos a la altura del pecho, entrecruzados los dedos. Parpadeó dos veces, rogatorio el brillo de su mirada, como enviando señales mudas pero inconfundibles: «Recemos».

Se dispuso doña Aguas Santas Rivero a proclamar veredicto tras las deliberaciones. Irguió poco a poco su anatomía antigua, descarnada como un miriñaque de museo, sobre el sillón de presidir que lo mismo le servía para dictar leyes, condenar reos y dormir siestas. Con su voz mandona de siempre, concluyó:

—Rezaremos, pero no con tanta bambolla y alharaca como propone don Manuel. No de momento. Antes que en las grandes penitencias hay que pensar en las grandes acciones de gobierno. Ya saben sus mercedes, «A Dios rogando, pero con el mazo dando». Si llega el momento y no queda otro remedio, iremos de procesión y yo misma seré la primera en verter ceniza sobre mi cabeza. Mas eso ocurrirá cuando las autoridades mundanas, o sea, yo misma, hayan agotado todos los mundanos medios de lucha contra el mal.

Todos asintieron. Incluso el presbítero de san Atila parecía de acuerdo.

—Esto he decidido...

Se enderezó un poco más la Primera Magistrada de Isla de Lobos.

—Hasta hace poco, vivíamos a sosiego, todos juntos y cada cual en su rincón, dedicados a nuestras faenas y ocios. Así ha sido desde que yo recuerdo. Desde siempre. Solo una novedad hubo en la isla: la llegada del náufrago a quien usted mismo, señor presbítero, bautizó como Manuel Torga.

Todos asintieron de nuevo, a excepción del sacerdote, quien temía un rapapolvo o algún arbitrario reproche por parte de la Ministra Única de Isla de Lobos.

—Dice usted, señor don presbítero de san Atila, que es muy posible el acecho de algún alma endemoniada. Yo afirmo ahora, sin dengues ni ñoñerías ni otro temor que el de traicionar a mi conciencia, que es el regresado de las aguas, quien incomprensiblemente sobrevivió a la deriva del mar y llegó hasta nuestras costas, él y no otro, él mismo, la causa de nuestro padecimiento. Él es responsable. Culpable de malquistar nuestra tierra con las leyes de la naturaleza, de desatar la ira del océano. Seguramente culpable de negociar con el mismo diablo la ruina de Isla de Lobos, a cambio de a saber qué recompensa, qué abominaciones.

—Yo, doña Aguas Santas, no pretendía sugerir que el náufrago... —intentó meter palabra don Manuel de Garceses. La Primera Magistrada de Isla de Lobos continuó sin escucharle.

—Por lo cual dispongo que toda la fuerza militar bajo mi mando, toda entera, se desplace hasta Los Loizos por los senderos de tierra adentro, ya que el mar no es camino seguro hoy en día; y hagan preso a Manuel Torga, su esposa y su descendencia, y a todo el que se oponga a estas prevenciones. Y una vez el náufrago y su esposa y sus herederos sean conducidos al habitado del puerto, se les sacramente como debe ser, se les exhorte a renegar de sus maquinaciones con el maligno y se les dé fuego. Que la hoguera de la verdad y la justicia se alce en Isla de Lobos, que el humarón del castigo ascienda hasta los cielos y el Señor Dios Santísimo compruebe el temple de nuestra fe y aplaque su rigor con el aroma del holocausto. Una vez concluidos estos protocolos, creo yo, estaremos en condiciones de ponernos a rezar, rogar perdón por nuestros yerros y hacer todas las penitencias que hagan falta.

Concluyó fatídica, algo sobreactuada:

—Es mi palabra.

De nuevo y por tercera vez, todos asintieron. Todos, claro está, a excepción del presbítero de san Atila. Poniendo coraje en momentos que lo necesitaban, pues no parecía la Ministra Única dispuesta ni con ganas de atender objeciones, alzó levemente la voz don Manuel de Garceses.

—Pero, amada y muy respetada señora, doña Aguas Santas... Se lo ruego, repare su merced en que eso que acaba de disponer, el apresamiento y auto de fe, con tres cristianos en el poste del tormento... En fin, no sé cómo expresarlo, son costumbres de otro tiempo, de otras épocas en que la humanidad era menos... humana. Son cosas de la Edad Media.

Doña Aguas Santas Rivero no se tomó la molestia de alzarse medio palmo en el sillón para responder al sacerdote:

—Y usted, hombre de Dios, alma de cántaro, ¿en qué tiempos vive? ¿Sabe qué día de la semana es hoy? ¿De qué mes? ¿De qué año?

Escondió la mirada el sacerdote.

—No lo sabe. Ninguno lo sabemos. Ay, don Manuel de

Garceses, ¿a usted quién le ha dicho que no vivimos en la Edad Media?

A la cuarta y última en aquella ocasión, asintieron unánimes los presentes.

El farero Ramiro notaba encogérsele el alma. ¡Qué manía con poner preso al náufrago! Las palabras tan duras que pronunciase doña Aguas Santas Rivero contra Manuel Torga lo habían anonadado, o poco menos. Porque estaba seguro de que el regresado de las aguas era inocente de cualquier maldad. Y porque le había tomado cariño desde el principio. Tal como proclamase poco antes, con toda rotundidad, doña Aguas Santas Rivero: la primera impresión es la más sabia, la que más nos revela sobre las personas, las cosas y los hechos de este mundo. Y él, Ramiro el contador de olas, fue quien primero vio al náufrago y con quien primero habló. El primero en cogerle afecto; y de la primera bondad nunca se reniega porque, de suyo, casi nunca engaña.

— XIII —
La verdad y sus parecidos

Albabella había acudido a las habitaciones de su madre, Esmeralda, para despedirse de ella.

Entibiada en edredón de lana y plumas de tarabilla, susurraba a los pies de la negra, tomaba sus manos y las besaba. Alguna lágrima dejó tras retirar los labios. Muchas lágrimas había vertido, demasiadas, desde que los lobos de mar abandonaron Playa Grande y se encontró sola y tuvo frío.

—Se está bien aquí, contigo, en este cuarto tan recogido y con tanto silencio. No se escucha el rumor de las olas.

—¿Ya no te apetece el mar? —preguntó la negra.

Albabella dudó al responder. Levemente la tristeza quebraba su voz.

—Parece que soy yo la repudiada. Hasta hace poco el mar era mi casa, mi único nido, el uniquísimo sitio de este mundo nuestro, tan pequeño, donde era feliz. Pero se volvió enemigo sin avisarnos ni exponer previa demanda por las buenas. Comió parte de la playa, dejando a los lobos marinos arrebañados y muy asustados. Después inundó la cueva protectora, donde me guardaba a mí misma y conservaba aquellos bienes que tanto estimé: el cauce de agua limpia que embalsaba entre piedras, las pieles de mis amados lobos muertos de ancianidad, las que eran lecho y suelo firme sobre el que poner los pies cada día.

—El náufrago estuvo allí. Habló contigo —advirtió Esmeralda, algo recelosa.

—Cierto. Pero él no tiene culpa de nada.

—No digo lo contrario. Solo te hago reparar en que ese hombre, allá por donde va, esparce malaventura.

—No tengo esas noticias. Los lobos solo me contaron de su felicidad tras volver a casa, en Los Loizos, acompañado de Ariadna y su hijo el arquero.

—¿Y cómo sabían ese detalle, si ellos viven en el mar y Los Loizos es tierra adentro?

—Porque los lobos todo lo saben. Todo lo sabían...

Entornó Albabella la mirada, contristada, con la nostalgia reciente de un tiempo que aún no acababa de fundirse con el pasado pero, bien lo sabía, nunca iba a volver.

—Cuentan que todos se han marchado —dijo Esmeralda.

—Uno detrás de otro. Hacia el mar, en busca de otro horizonte donde puedan seguir sus vidas y continuar su charla constante con las aguas y las corrientes, el viento, la noche y el día; con todos los seres del mar, los que nadan bajo las aguas y a menudo les sirven de alimento y los que vuelan sobre el rizado de las olas, disputándoles la comida.

—No entiendo eso de «la charla constante» —expuso Esmeralda —. ¿Qué carajos significa?

Albabella pensó la respuesta. Tras recolocar el edredón sobre los hombros desnudos y encogerse en el abrigo, dijo:

—Ellos son el pensamiento de las aguas, la conversación continua entre el ser mismo del océano y todo cuanto existe en su enorme reino.

—Sigo sin entenderlo —sonreía Esmeralda, compasiva—. Pero es hermoso lo que has dicho, al menos me lo parece.

Dejaron pasar unos instantes de amable silencio, unidas madre e hija en la complicidad penumbrosa de la habitación, tomadas de la mano, respirando la misma aura protectora que conforme las alejaba del mundo más las guardaba y más las acercaba la una a la otra.

—Y ella, mi hermana, Aguas Santas, ¿por qué se ha vuelto así? —preguntó Albabella.

—¿Así?, ¿cómo?

—Así de caprichosa y tirana, siempre en riña con el mundo, siempre dispuesta a encararse y a destripar a quien le lleve la contraria.

—No se ha vuelto así, Albabella. Siempre fue así —admitió Esmeralda con resignación muy natural, de costumbre archisabida y mil veces practicada.

—Pero ¿por qué? —insistía Albabella.

—Porque en lo tocante al orgullo, exigencias y flatos del poder, salió a su padre, el difunto Augusto Rivero. Y en lo demás, por iracunda, amargada y antipática, a una abuela mía de Portobello, esclava de la plantación que llamaban Los Corrales. Fue una negra muy guapa, me contaban, pero con un carácter de mil diablos. Tuvo decenas de amantes y dieciséis hijos. Los amantes se le ahorcaban y los hijos se le morían a los pocos meses de nacer, en cuanto sus luces cortitas de recién venidos al mundo les revelaban aquella desgracia: eran progenie de una mujer insoportable que les amargaría la existencia.

—¿Y por qué está empeñada en capturar a Manuel Torga, nuestro náufrago, traerlo al habitado del puerto y darle ejecución pública? ¿Por qué semejante barbaridad?

—Porque es tonta.

—Eso ya lo suponíamos, madre amada.

—Tonta de remate. De nada va a servirle esa expedición recién formada y puesta en marcha, rumbo a Los Loizos, con intenciones de conquistar el dominio y cargar de cadenas al náufrago y los suyos. Un absurdo.

—¿Lo es de verdad?

—De verdad verdadera, hija mía.

—¿Cómo así?

Albabella aguardó la respuesta con inquietud. Esmeralda la consolaría con frases dulces de madre que nunca dejó de amar a sus hijas, a ella y a la Primera Magistrada y Ministra Única de Isla de Lobos.

—Todo cree saberlo, la muy lerda; y todo lo ignora. Tiene muchísimos años menos que tú, pero su aspecto es el de una anciana ruinosa mientras que tú, mi bien, preservas apariencia de mujer joven y en condición de ser muy deseada por los hombres. Yo, que soy su madre, tengo infinitos años más que ella; pero los sirvientes de esta casa nos creen de la misma edad, hermanastras o algo parecido. Muy cierto —suspiraba Esmeralda—, una cosa es la verdad y otra sus parecidos.

—¿Pero a ella nunca le ha extrañado…?

—¿El porqué de este desorden en su tiempo, el mío y el tuyo? Nunca. Ahórrate volver a preguntarme el motivo, hija de mi alma, pacífica, inocente Albabella. Jamás se le pasó por la cabeza interrogarse sobre estos asuntos. La pobre cree que el tiempo corre conforme avanza su existir, sin importarle cómo se lleven los demás con el calendario.

—¿Y no es así?

—En absoluto. Muchas cosas da Aguas Santas por sabidas, y todas son falsas. Un inmenso error. Cree que detendrá a Manuel Torga, lo ajusticiará a la puerta de esta casa y con ello salvará del fin a Isla de Lobos. Una estupidez, una de tantas. Cree que ella es vieja porque yo soy viejísima y porque los demás son jóvenes. Desdichada.

—Entonces, ella, mi hermana, ¿es joven o vieja?

—No es nada porque no existe. Nunca ha existido. Tiene la edad y el aspecto que le parece debe tener la viuda de Augusto Rivero, pero lo que ella piense tampoco importa lo más mínimo. ¿A quién interesan las conjeturas o convicciones de alguien que no existe?

—¿Pero no está en el secreto, como nosotras?

—Desde luego que no, bendición de mis entrañas. Cómo iba a sacarla de su mundo ensimismado, su fantasía de poder y vanagloria, para apabullarla con la verdad y decirle santamente lo que tú y yo siempre hemos sabido? Isla de Lobos es el sitio del mundo que no está en el mundo, el punto de los mapas al que jamás se llega siguiendo un mapa; el país de viento y mares donde viven los que nunca existieron y nunca existirán, donde guardan sepulcro los sueños que nadie recuerda y habitan las almas perdidas de los desesperados que cayeron en la locura. Ella, dulce hija mía, no habría soportado esa certidumbre.

Guardó silencio Albabella. Derramó más lágrimas, más densas y mucho más sentidas.

—Pobre hermana mía —musitó al cabo de un rato.

— XIV —
EL AÑO DEL NÁUFRAGO

El alférez Robledo conversaba con Ivo y con el capitán del Circe. Los tres se aposentaban un poco abatidos, muy cansados, sobre la roca negra, lisa de lava batida por el oleaje, en un promontorio estrecho como una senda entre colinas de las que ascendían al Volcán de Isla de Lobos. Y allá bien cerca les quedaba el mismo Volcán, a doscientos pasos, exagerando la cercanía, y trescientos como mucho y sin exagerarla. Manaba del bocachón de la montaña una débil fumarola, blanca como de vapor recién formado, pestilente de sulfuro, tufo de brasero y otros gases meteóricos demasiado viciados para que el olfato de ninguno de ellos fuese capaz de identificarlos. En el otro extremo de la tierra firme, a otros doscientos pasos exagerados y trescientos sin dramatizar lo minúsculo de la situación, quedaban Manuel Torga, su esposa Ariadna y el capataz Matheus. Esto, en cuanto a humanos de carne y alma. El único animal superviviente, Brillo, dormitaba su vejez y desgana a los pies del amo, aquel Manuel Torga a quien reconoció nada más volviera a Los Loizos tras sus ausencias océanas. De vez en cuando el perro abría la boca en un bostezo descomunal, mostrando los dientes amarillos y algo romos. Miraba a un lado y a otro el mastín de presa, llenaba su hocico de viento sobre mares, gemía un instante por desagrado de los sulfuros y demás pestilencias volcánicas, y volvía a ovillarse y dormir, como desganado.

Ellos eran los últimos. Aquel trozo de tierra negra, lo único que quedaba de Isla de Lobos. Dos días llevaban aguardando una chalupa, desde que llegó el capitán del Circe a su rescate. Por fortuna para ellos, quizás por designio del destino y seguramente de la providencia, el mar parecía saciado de la isla. Se retiró el oleaje que zampaba tierra, llegaron de nuevo las espumas tranquilas, sin más daño que mojarles los pies de vez en cuando.

—Lo de acabarse el mundo lleva su tiempo, me parece —dijo Ivo, un tanto aburrido.

—Acabarse, lo que se dice acabarse. Yo creo que ya se ha terminado de acabar —le contestó el alférez Robledo.

—Pues en toda mi vida sufrí algo tan molesto ni he visto fenómeno más extraño —insistía Ivo en sus quejas.

Sonrió el capitán del Circe, benevolente.

—Corta vida, sin duda. Si hubieras navegado años y años, como yo y los míos, en un navío zarandeado por los vientos y salpicado por todas las aguas atlánticas, sin más rumbo que la noche y la mañana, y hubieras visto repetirse una vez y otra la dicha noche y la dichosa mañana, ¿cómo te habrías consolado?

—Yo qué sé —encogió Ivo los hombros, enfurruñándose más todavía.

El alférez Robledo se puso en pie, estirándose tras la aburrida sentada a la orilla del mar que llevaba todo el día empapándole las botas.

—No lamentes este incordio del acabamiento del mundo, que si ahora te resulta tedioso y mojado bien te sirvió para derrotar a mi ejército.

Hablaba el militar sin enojo ni resentimiento, a pesar de haber perdido a todos sus hombres en la lucha contra el arquero y, de remate y puntilla, contra la fuerza aniquiladora del mar. Describió lo sucedido con la calma en el relato y el tono imparcial de quien comenta una jugada insólita en una rápida partida de ajedrez, o de naipes al envite con triunfos cantados.

—Por no hablar de la ayuda que te hizo este mismo mar, el que ahora parece satisfecho, atiborrado después del banquete, y de tan harto como se halla no quisiera la molestia de llevar a la panza lo poco que queda de firme, la cima pestífera del maldito Volcán y, desde luego, a nosotros de un último bocado.

—No fue ayuda para mí —protestó Ivo—, sino milagro de gran milagrería, portento que sucedió para todos, aunque unos sucumbieron y otros nos salvamos.

—¿Tan brava fue la acometida? —se interesó el capitán del Circe.

—Más aún, si yo lo cuento —respondió el alférez Robledo—. Fue el advenimiento, así de sopetón, de una extravagancia bíblica, como las plagas de Egipto, el diluvio universal, la apertura del mar Rojo ante Israel fugitivo y despampanancias semejantes. Tal cual.

Se dirigió a Ivo con voz templada y ademán tan humilde como su rango de alférez, jefe de tropa sin tropa a la que mandar ni guerras que hacer a nadie:

—¿Miento o no miento?

Negó el muchacho con dos cabezadas.

—Ahá —clamó el capitán del Circe, cada vez más engolosinado.

—Todo fue, y juro que así mismo sucediera —proseguía el alférez—, que llegado a la frontera de Los Loizos con mi hueste de veinte fusileros, cuatro honderos, dos mujeronas de todo trajinar y para todo servir, y seis o siete dogos de buena mordida, encontramos cerrada la estrechura del camino por unos cuantos árboles que el mozallón —señalaba a Ivo—, había derribado para emboscarnos. Y antes de proveer movimientos de despliegue, despejar la senda y demás diligencias de campaña, este energúmeno —continuaba señalando a Ivo—, comenzó a lanzarnos flechas. A dos perros hirió de muerte y a los demás dejó inútiles. Acosaba subido a la copa de un junípero, donde los canes no podían alcanzarle por mucho que brincasen y gruñeran y sacaran dentadura como quien amenaza con sable y lanza. Total, que los perros de nada sirvieron y allí quedaron, mordiendo unos las flechas que atravesaban su pellejo; tiesos los achuquinados, como odres rellenos de arena.

—Buen arquero y buen cazador —dijo el capitán del Circe.

—Desde niño —respondió Ivo al cumplido, orgulloso.

Continuó el alférez, como si nada hubiese escuchado.

—No dio por terminada la guerra, por cierto, con la mortandad causada a los canes. Enseguida saltó del árbol, corrió entre la fronda y buscó sigiloso otro lugar desde el que atacarnos. Mis hombres estaban ya dispuestos en formación, con la fusilería dispuesta a la descarga. Pero no sabíamos, ni ellos ni yo, adónde apuntar. Él nos disparaba un par de flechas y cambiaba de emplazamiento a todo correr. A uno de los míos mandó al ultramundo, clavando bien hondo una flecha en las tripas del infeliz. A otros dos hizo lesiones de importancia. Al primero le atravesó la mano derecha. Al segundo, pobre de él, le hincó la saeta en plena ingle. No sé si apuntaba al muslo, buscando el caudal de la arteria, que es mortífero cuando mana por herida perforante o tajo severo, o a las mismas partes púdicas, lo que habría sido el colmo de la mala uva, dicho sea esto sin rencor ni menoscabo del valiente arquero. El caso es que dejó a medio morir al guardiamarina, con ninguna esperanza de sanar y volver a caminar sobre dos piernas, en el mejor de los casos.

Guardó silencio por unos instantes el alférez, invocando responso en la intimidad del corazón por sus hombres perdidos, todos ellos. Luego expuso el desenlace de la batalla.

—Pues mire su merced qué suerte la nuestra en esta campaña de desastres: cuando ya teníamos localizado al enemigo, o sea, a este joven de buena puntería y mortíferas ideas. Cuando ya mis guardiamarinas se disponían a tirarle con bala y por secciones, para levantarle del escondite y acribillarlo en la huida… En ese mismo momento se alzó el mar igual que se levantaron legiones de demonios contra Dios Nuestro Señor en las guerras celestiales. Pero, claro: Dios es Dios y con Él no valen legiones ni ejércitos ni diablos que por millones atacasen lanza en ristre. Nosotros éramos pobres mortales, y el adversario el océano, nada menos. Cayó sobre nuestras cabezas, nos aplastó como la bota de un arriero espachurra a una hormiga, nos revolvió con tierra y cieno, pedruscos y troncos de árboles también arrasados. Nos desmanteló y destruyó por completo. Solo dos salvamos la vida en aquella brutalidad de la naturaleza puesta en faenas de exterminio: el arquero y un servidor. Al retirarse las aguas, la isla había desaparecido. ¿No le parece un final muy triste para una conquista tan humilde como la que pretendíamos?

El capitán del Circe eludió la respuesta. Se limitó a referir las visiones de lo trágico desde la proa de su navío:

—Pudimos ver aquella ola gigantesca, sí. Desde más de dos millas en la distancia, vimos cómo se levantaba y caía sobre Isla de Lobos. La espuma del mar se juntaba con las nubes del Grande Arriba. El viento sopló tan furioso que mis tripulantes tuvieron que amarrarse en cubierta con nudos de franciscano para no sufrir arrebatamiento y caer más allá de las aguas embravecidas.

—Habrían sido los únicos volantones en cien millas —dijo el alférez—. Por no quedar, ni pájaros quedan en la isla.

—Cuando la ola acabó el festín y ya se había tragado a Isla de Lobos, y remitieron los vientos, y el nublado despejó, decidimos aproximarnos en busca de supervivientes. También, a qué engañar a sus mercedes en este asunto... También para asegurarnos de que la isla ya no existe y, quizás, tampoco la maldición de no poder abandonarla.

—Eso no lo sabemos —objetó Ivo.

—Pero lo vamos a saber dentro de poco. En cuanto regrese la chalupa que me trajo a tierra, y con ella los hombres que han de llevarnos en custodia, y alcancemos el Circe y soltemos trapo en dirección... Bueno, la dirección que corresponda y se pueda tomar barloventada, ¿qué más da? Entonces lo sabremos.

Empezaba a hacerse de noche. Decidieron los reunidos juntar algunas ramas que flotaban en la orilla, sacudirlas e intentar hacer fuego. Invitaron a los más distantes, Manuel Torga, Ariadna y Matheus, a unirse y ayudar en la faena. Necesitaban aquel fuego para librarse de la humedad, aunque fuese a fuerza de humo y resina derretida en lágrimas pegajosas sobre el calor de cuatro brasas. Hacer fuego es importante, pensaban, y estaban todos de acuerdo, cuando el mundo se ha acabado y solo quedan el mar y el viento señores del páramo inmenso donde antes estuvo la casa del mundo.

Los lobos de mar empezaron entonces a reunirse, en torno a la mínima roca negra que antes fuese Isla de Lobos.

Cuando la ola llegó al habitado del puerto, el geógrafo don Sebastián y el presbítero don Manuel de Garceses debatían en la sacristía de san Atila sobre los afectos, malquistamientos y renuncias de la fe y la razón, la ciencia y el misterio del más allá del mundo; polémica que siempre los mantuvo en desacuerdo, si bien una parte y otra se esmeraban en lo respetuoso, la cortesía y demás miramientos. Pues dos virtudes se reconocían uno al otro: ser tan cabales como perseverantes en su convicción, y tenerle tirria a Sanaperros. Un santero, curandero, predicador de animismos y otros desatinos, nunca sería bien visto por un hombre de la Iglesia, como don Manuel de Garceses, ni por un auténtico hombre de ciencia, como don Sebastián.

De tal modo que allí estaban, sentados frente a frente, con mesa de madera remachada con clavos denarios por medio, y sobre la mesa un crucifijo, el cual ornaba de perpetuo el modesto mueble, y sendos tazones de té chocolatado, infusión con que el sacerdote solía obsequiar a las visitas que le resultaban gratas.

Justo antes de que llegase la ola, la última y devastadora, decía el presbítero al geógrafo:

—No le veo yo mucho futuro, don Sebastián, a esa guerra organizada por nuestra señora Ministra Única contra Los Loizos, su amo, población y familia. No partieron los soldados con ánimo vistoso, precisamente.

—Desde luego que no —asentía el geógrafo—. Con estas preocupaciones de los últimos tiempos, el mar que nos va estrechando el firme habitable, ya de por sí minúsculo entre las aguas, y lo bravo y cada vez más riguroso del oleaje, la huida de los lobos de mar y de todas las aves que anidaban en la isla, el mal augurio de los mauritanos dados al rezo en espera de morir y de ninguna otra suerte. Con esa incertidumbre pesando en los ánimos, ya me dirá usted con qué moral acuden a la conquista los guardiamarinas de doña Aguas Santas Rivero. Lo dicho: esta guerra es un despropósito.

—Por no hablar de las intenciones, bastante endemoniadas según mi parecer, de traer al náufrago Manuel Torga y los suyos hasta las mismas mansiones de la Primera Magistrada, y meterles fuego como si fuesen herejes de otra época, o criminales odiosos a cualquier hora. Esos planes, señor geógrafo, ni son cristianos ni tan siquiera decentes. Nunca debimos permitir a la Ministra Única que emprendiera esta campaña insensata.

—Y tan poco caritativa, por no tildarla de cruel —dijo el geógrafo, sin duda condescendiente.

—Eso mismo. Muy poco caritativa.

—De todas formas —prosiguió don Sebastián—, no creo que lleguen a cometerse esas barbaridades: ni la campaña bélica contra Los Loizos ni el auto de fe y martirio de sus habitantes. Lo más seguro es que nuestros guardiamarinas, la tripulación armada de la Santa Ignacia y demás tropa que los acompaña, acampen en algún valle, ante las estribaciones del Volcán. Permanecerán en aquellos reales hasta que la situación torne a menos insegura, esperando una de dos: que las aguas se retiren y dejen de morder y tragar a Isla de Lobos, o acaben por poseerla enteramente, de una vez y para siempre. No habrá guerra, señor presbítero. Ni hogueras. Esa es mi opinión.

—Dios le oiga —rezó el sacerdote.

—Menos tardaría el mar en llevársenos a todos que traer los guardiamarinas a Manuel Torga y sus próximos al habitado del puerto, amarrarlos al poste de la infamia y ejecutarlos tan brutalmente como ha dispuesto la Ministra Única.

El presbítero no concibió mejor respuesta que repetirse:

—Dios le oiga.

Y como si Dios los hubiese escuchado con toda atención, llegó el mar, se alzó la ola grande... En ese mismo momento, de un solo zarpazo, arrebató Isla de Lobos al mundo de tierra firme, y con Isla de Lobos al presbítero de san Atila, al geógrafo don Sebastián y a todo nacido de hembra que habitase en los entornos. Convirtió en astillas los barcos fondeados, levantó la piedra del espigón y amarradero, deshizo en glebas, fango y deshechos de casa arruinada cada esquina y cada patio, techumbre y dormitorio del habitado del puerto. No quedó mauritano que orase oferente con la nariz apuntando a la Meca, ni inglés capaz de emborracharse más que de agua, ni andariegos ni errantes, ni prostituta viva ni jugador de julepe con pizca de latido en el pecho. Los engulló el océano, a todos, a los jóvenes y los viejos, a los buenos, los malos y los medio una cosa y la otra. Todos acabaron en el fondo de las aguas. Y no hubo para ellos reino de sirenas donde los nombrasen príncipes.

Horas después, las aguas ascendían poco a poco y golpeaban sin furia, aunque aún poderosas, contra los muros del palacio virreinal. Asomada al último balcón, doña Aguas Santas Rivero, dueña en su casa como siempre, como si dueña siguiera siendo más allá de sus paredes, fiera como nunca, viejísima como la muerte que llamaba y le reía la rabieta con dientes de espuma sobre las olas, maldecía al mundo y a quienes lo habían habitado hasta muy poco antes:

—¡Inútiles, gandules, descreídos! ¡Os advertí que esto podía suceder, y ha sucedido!

Con cada empuje de la marea, golpeaban los cadáveres de los ahogados contra la fachada de la casona. El mar asomaba cada vez más próximo al último reducto donde Aguas Santas Rivero, medio ida por el berrinche y a otro medio trastornar por la desesperación, continuaba increpando a los cielos y exhortando a los muertos.

—¡Es nuestra isla, desgraciados! ¡Nuestro hogar! ¿No vais a hacer nada por rescatarla del desastre? ¿No moveréis un dedo, holgazanes, borrachos, puteros... para salvar esta tierra, esta casa, a esta persona que os llama y que soy yo y ninguna otra? ¡Malditos! ¡En el pecado lleváis la penitencia!

Cuando ya el agua le cubría los pies y empapaba los filos del camisón blanco de seda, llegó a sus espaldas, sigilosa, un tanto cegada por la luz del mar, la negra Esmeralda. Alzó el brazo y puso la mano derecha en el hombro de su hija.

—Déjalo ahora, mi bien.

Sonreía Esmeralda.

—Madre... —Se volvió Aguas Santas Rivero, sobresaltada.

—Déjalo —insistía Esmeralda.

—¿Qué demonios tengo que dejar?

—Todo, hija mía, tesoro de mi corazón. Todo. Olvídalo todo y ven conmigo.

—¿Adónde, madre?

—Donde nunca hemos estado tú y yo. Donde nunca estuvo nadie dos veces. A la última peripecia de la vida y primera del eterno que nos empieza.

Confundida, delirando en un sueño que no se adivina ni se sospecha siquiera, preguntó Aguas Santas Rivero:

—Pero, madre, ¿no estábamos ya en lo eterno, aquí, en Isla de Lobos?

La tomó Esmeralda de ambas manos. Volvió a sonreír benévola. La besó en ambas mejillas.

—Por eso mismo, Aguas Santas. Por eso mismo... Ven conmigo. Nada malo va a sucedernos.

—¿Y bueno? ¿Habrá allí algo bueno para nosotras?

—Ven conmigo... —la convencía Esmeralda.

Según el viejo Matheus, la presencia de los lobos marinos era señal indubitada de que el fenómeno no se correspondía con los naturales del mundo, sino con los sobrenaturales de fuera del mundo conocido y por conocer.

—Es cosa bíblica, no física —afirmaba, muy convencido de su tesis.

El alférez Robledo escuchaba con interés, aunque lo suyo no era curiosidad sino legítimo anhelo de consuelo: si su completo ejército había sido aplastado por una fuerza impalpable, celestial o demonial, y el cataclismo que les vino encima resultaba por completo impredecible, y, tal como rezaba el dicho, «contra las aguas del mar luchan brazos varoniles; contra diablos a miles, ya no se puede luchar»... En tal caso, pensaba para sí, reconfortado, el honor estaba a salvo y la conciencia más tranquila. No los derrotó un joven belicoso y certero con el arco, sino una catástrofe, tal como afirmaba Matheus. Bíblica. Peores las tuvo el faraón de Egipto en el mar Rojo, y nunca nadie le reprochó haber perdido un ejército en batalla sino, en todo caso, la cabezonería de perseguir a Israel cuando los de Moisés ya eran idos de su imperio. La historia, reconocía en lo íntimo, siempre pone a cada uno en su lugar.

—Más que a los castigos de Sodoma y Gomorra, me evoca esta avería el diluvio universal —insistía Matheus.

El capitán del Circe se encontraba a pocos metros, en la orilla, halando del cabo que habían arrojado los dos remeros de la chalupa recién llegada a las ruinas de Isla de Lobos.

—¿Podría usted filosofar un poco menos y echarme una mano? —gritó a Matheus.

—No.

Manuel Torga, quien fuese náufrago y por secuela de aquella condición mantenía la desmemoria, conversaba más allá, los tres retirados, con su esposa Ariadna y su hijo Ivo, el arquero.

—Yo mismo le ayudo —se ofreció el alférez Robledo.

—Mi gratitud —respondió el capitán del Circe, resoplando, pues la tarea de acercar la chalupa a la orilla no era de mucho esfuerzo pero sí de tremenda maña, lo que igualmente extenuaba al marino. Debía poner extrema atención y maniobrar con toda su pericia para no aproximar en exceso la barquilla a las rocas, lo que habría resultado fatal: la débil chalanita, lanzada por el oleaje contra los filos del rompiente, habría ido al fondo en menos de lo que tarda un cristiano en santiguarse. Con ambas manos ocupadas, no se santiguaba el capitán del Circe, pero a dientes prietos rezaba para que la maniobra saliese cumplida y sin daño para nadie.

—Nosotros, hijo amado, no vamos a subir a esa barca —decía en aquel instante la hermosa Ariadna a Ivo el arquero.

Manuel Torga asintió, resignado, disimulando su pesar.

—¿Por qué no?

—Porque tu padre y yo pertenecemos a Isla de Lobos —intentaba convencerlo Ariadna—. Tu padre partió de la isla y el mismo mar se encargó de devolverlo. Nosotros, hijo, nunca saldremos de aquí. Es imposible que vivamos lejos de nuestro horizonte. Esa es la verdad.

Con gesto severo, volvía a confirmar Manuel Torga las palabras de Ariadna.

—Pero aquí tampoco viviréis —se lamentaba Ivo—. La isla decrece más y más... Mirad este trozo de tierra. Nadie puede vivir aquí... Dentro de poco no quedará sobre las aguas ni la cima del Volcán.

Manuel Torga y Ariadna lo miraron con adensado brillo de afecto y renuncia en sus ojos, por todo el amor del mundo traspasados. Sin palabras dijeron lo que con palabras, igualmente, habrían dicho: «Lo sabemos, pero debes partir sin nosotros».

—¿Y Matheus, y el alférez? ¿Ellos van o se quedan?

—Ellos son de la isla, como nosotros. También conocen su destino —respondió Manuel Torga.

Maldijo seis o siete veces el arquero Ivo. Después, con lágrimas corriendo por las mejillas, abrazó a sus padres.

—Por Brillo, mejor no os pregunto —dijo el joven entre sollozos.

El capataz Matheus continuaba perorando sobre las causas y efectos bíblicos de la catástrofe.

—Los lobos marinos que ahora ven sus mercedes, congregados por cientos, son paradigma de aquella reunión de bichos vivientes que se metieron en el arca de Noé. Seguro que siguen al Circe en cuanto parta, y con la nave llagarán a puerto seguro.

—Lo que usted diga, señor Matheus —se quejaba el capitán del Circe, sudoroso aunque aliviado del trabajo de asegurar la chalupa, gracias a la ayuda del alférez Robledo.

—Por no mencionar el antecedente de mi amo y dueño de Los Loizos, el buen caballero Manuel Torga, quien regresó a Isla de Lobos igual que el profeta Jonás fue arrojado a tierra seca desde las tripas de la ballena, donde habitó por tres días con sus noches, tal como saben sus mercedes.

—¡Tiene usted razón, admirable Matheus! —se chanceaba el alférez Robledo—. Todo esto resulta muy bíblico.

—Muy bíblico —confirmó el capitán del Circe.

Dos horas más tarde, la chalupa con sus dos remeros, el capitán del Circe e Ivo a bordo, alcanzaba el estribor de la nave. Desde el palmo de roca negra que antes fuese Isla de Lobos, Matheus, el alférez Robledo, Ariadna y Manuel Torga agitaban los brazos, despidiéndolos.

En cuanto el navío hubo largado trapo, los lobos de mar se lanzaron tras su estela. Surcaban bajo el agua muy ágiles, con elegante celeridad; saltaban en brincos vigorosos, relucían sus miradas, las cruzaban, se observaban unos a otros… Recordaban a muchos dejados atrás.

Manuel Torga tuvo la visión, efímera y desconcertante,

de que entre la bulla y espumas y saltos y destellos de los veloces lobos, corría desnuda y libre y más salvaje que libre la hermosa Albabella.

Solo duró un instante aquella sensación.

«Una ilusión», se dijo.

Permaneció un buen rato en silencio. Hasta que su esposa, Ariadna, le preguntó:

—¿Qué haremos ahora?

—No lo sé —fue la respuesta del náufrago.

El viejo Matheus no calló un último pensamiento, un elogio entre tantos que durante tantísimos años había ofrecido a su señora Ariadna:

—Muy certera la pregunta, ama mía. Pues preguntar dónde ir habría sido absurdo. Qué hacer es cuanto queda. Qué haremos. Pues, por Dios lo juro, venerada Ariadna, respetado Manuel Torga, derrotado alférez Robledo... Qué hacer hoy y mañana, si hay mañana, es lo único que debería ocuparnos. Sí, no hay duda: habrá que hacer lo que haya que hacer. Como dice la Biblia Santa, sin duda con certeza: tal vez morir. O lo que más se le parezca. Y acabar de una vez este año sin manecillas en el reloj del Supremo, este maldito año del náufrago.